SARVAM ANNAM

TOUT EST NOURRITURE

Catherine et Patrick MANDALA

SARVAM ANNAM
TOUT EST NOURRITURE

Du matériel au spirituel

Recettes de cuisine indienne
Selon l'âyurveda

Recettes de sagesse
Selon les maîtres indiens

Illustré de rares miniatures indiennes

Éditions DERVY
17, rue Campagne Première
74014 Paris

DU MÊME AUTEUR

L'ART SACRÉ DES MINIATURES INDIENNES. Éditions Mandala. Catherine et Patrick Mandala. 74290 Talloires, 1975.

GURU-KRIPÂ : L'enseignement de Mâ Ananda Moyî, srî Râmakrishna, Svâmî Râmdâs. Préface d'Indira Gandhi. Introduction d'Arnaud Desjardins. Éditions Dervy, 1984.

SVA-DHARMA : Contes de sagesse du bouddhisme tibétain et du Népal. Illustrations de Catherine Mandala. Éditions Chiron, 1984.

LÎLÂ : La Geste de Krishna ou « Il y a 5 000 ans en Inde à Vrindâvan ». Roman initiatique. Éditions Dervy, 1987.

RASA : Cuisine végétarienne et familiale de l'Inde. Éditions Dervy, 1988.

SHAKTI : La Divine Énergie, vie de Sâradâ Devî, épouse de srî Râmakrishna. Préface de Denise Desjardins. Éditions Dervy, 1991. Introduction de Svâmî Nikhilânanda.

LE JOYAU DANS LE LOTUS : Les chemins de la sagesse dans le bouddhisme tibétain. Préface de Sa Sainteté le Dalai Lama. Illustrations de Catherine Mandala. Éditions Trédaniel, 1995.

LA VOIE DU CŒUR : Anthologie de poèmes mystiques de l'Inde. Éditions Chiron, 1996.

LA CUISINE ÂYURVÉDIQUE ET VÉGÉTARIENNE DE L'INDE. Catherine et Patrick Mandala. Éditions Le Courrier du Livre, 1996.

LE SYMBOLISME DES MANDALAS ou Le Voyage au Centre du Soi : précédé de l'art et la pensée en Orient et en Occident du XIᵉ au XIXᵉ siècle. Préface de M. Claude-Robert, Commissaire priseur. Éditions Trédaniel, 1997.

LE YOGA DE LA BHAGAVAD-GÎTA ou le Secret de l'Action. Préface d'Arnaud Desjardins. Éditions l'Originel-Accarias, 1998.

EN SUIVANT LE COURS DU TORRENT : Milarepa chante le bouddhisme. Chants inédits de la Tradition orale. Éditions Dervy, 2000.

KRISHNAMURTI ou La Sagesse de la Nature. Éditions Trédaniel, 2000.

LE YOGA-VÂSISHTHA ou l'expérience de la non-dualité. Préface de Denise Desjardins. Éditions l'Originel-Accarias, 2001.

LE YOGA DES PLANTES : Guide âyurvédique des plantes, fruits et épices. Recettes inédites de l'Inde. Préface d'Arundhati Roy(Catherine et Patrick Mandala). Éditions Le Courrier du Livre, 2001.

À paraître

AUX SOURCES DE LA SAGESSE : Paroles de sagesse et d'amour des maîtres de la Grèce Antique et de l'Inde (des poètes de l'Anthologie, de Thalès à l'Aréopagite, des veda à Tagore et svâmi Prajnânpad. Éditions l'Originel-Accarias, fin 2001.

BOUDDHA : paroles de sagesse de maîtres Tibétains et Abécédaire. Entretiens avec Sa Sainteté le Dalaï-Lama, Kalou Rinpoché, Dudjom Rinpoché, Beru Khyentse Rinpoché, Lama Anagarika Govinda. Éditions Dervy.

En préparation

LE SON DU SILENCE : Râmana Mahârshi et Nisargadatta Mahârâj. Écrits et anecdotes inédits.

ÂNDAL, LALLÂ ET MÎRÂ BÂI : Trois femmes indiennes ou l'Aventure de la sagesse.

PRAKRITI : la Naturopathie traditionnelle et âyurvédique de l'Inde. Première présentation française (Catherine et Patrick Mandala).

RASA : Saveurs de l'Inde, nos recettes préférées du Cachemire au Tamil Nadu, du Bengâle au Râjasthân. (Catherine et Patrick Mandala).

L'ARBRE DE VIE : guide âyurvédique en poésie, peinture et spiritualité.

REGARDS CROISÉS : Tibet-Occident sur l'art et la spiritualité à travers le dessin, la forme et la couleur – connaissance de l'art – connaissance de soi.

Shiva et Parvatî. École du Garhwâl ou Pahari (Nord de l'Inde) par Mola Râm, milieu XVIIIᵉ siècle. *Coll. Mukandi Lâl.*

© Éditions Dervy, 2 000.
ISBN : 2-84454-069-4

Que votre nourriture soit votre remède,
et que votre remède soit votre nourriture.

HIPPOCRATE.
Le père de la médecine grecque.

Monsieur Jourdain : « Ah ! la belle chose
que de savoir quelque chose ! »

MOLIÈRE.
Le Bourgeois Gentilhomme, II, 4.

Vasanta râginî. Illustre un mode musical (râga) du printemps (vasanta),
tiré du râgamâmâ. École du Bundî (Râjasthân sud, Udaipur),
vers 1660. *Coll. G.K. Kanoria, Calcutta.*

Introduction

Sarvam annam : tout est nourriture

"Ne crois-tu pas que toutes les choses qui sont unies les unes
aux autres ? — Je le crois. — Et que les choses de la terre
sont en sympathie avec celles du ciel ? — Je le crois aussi —
D'où leur vient en effet une telle régularité,
comme si Dieu donnait des ordres ?
Lorsqu'il dit aux plantes de fleurir, elles fleurissent ;
lorsqu'il leur dit de germer, elles germent ; de produire des
fruits, elles les produisent [...] Or, si les végétaux et nos propres
corps sont ainsi liés à l'ensemble des choses, et en sympathie
avec lui, nos âmes ne le sont-elles pas encore plus [...]
Dieu ne sent-il pas tout mouvement propre et uni au sien ?"

ÉPICTÈTE (VERS L'AN 60)
Stoïcien grec
Entretiens I, XIV
La Sympathie Universelle

Sarvam annam n'est pas un livre de recettes habituelles. Il fait suite
aux précédents : la *Cuisine âyurvédique* et *végétarienne de l'Inde*, le *Yoga
des plantes*, la *Naturopathie indienne*. Son originalité et la nouveauté du
sujet, tiennent dans le fait qu'il tourne autour de la notion védique et
holistique de *sarvam annam*, **tout** est nourriture : un sujet on ne peu plus
d'actualité et qui répond à nombre d'interrogations — tant sur la
nourriture du corps que sur celle de l'esprit.

Selon le vedânta, *annam* c'est le fait de manger, mais *aussi* d'être
mangé. À méditer. L'annam à tous les niveaux, grossiers et subtiles : ce
dont nous nourrissons le corps, mais aussi ce dont nous nourrissons l'esprit.
Dans un autre sens, l'annam c'est ce que nous recevons du monde, notre
"nourriture" quotidienne : c'est ce que nous entendons, voyons, disons,
sentons, pensons — aux niveaux conscients comme inconscients.
Cette nourriture grossière et subtile fait ce que nous sommes. Elle
façonne notre nature : sattvique, rajasique, tamasique, nous donne une

énergie de type vâta, pitta, kapha. Ce que nous verrons dans les chapitres suivants. Un verset sanskrit du texte âyurvédique, le *Charaka samhitâ* dit : "Notre corps est le résultat de notre alimentation. De même la maladie (du corps et de l'esprit) est causée par notre alimentation. Une nourriture saine et équilibrée donne sukha, une bonne santé ; une nourriture déséquilibrée, amène dukha, la maladie, la souffrance."

Aussi l'on peut dire — et c'est facilement vérifiable, qu'une nourriture équilibrée, prise avec un esprit pacifié, sans agitation, dans une ambiance paisible, non conflictuelle, portera tous ses fruits. Par contre une nourriture, si saine soit-elle, mais prise en état d'agitation, de colère, de tristesse comme de surexcitation, ne fera que perturber, à tous les niveaux. Là aussi, nous en avons tous et toutes l'expérience, le rasa.

De nos jours, l'agression, la pression du monde moderne se fait de plus en plus pressante, agressant les sens : pollution, nuisance sonore, stress, mal de vivre, insécurité, mais aussi *fast-food*, télévision, presse — bref tout ce qui nous "dévore" lentement mais sûrement au quotidien ! L'annam c'est aussi cela, et non seulement le fait de "manger". Si nous mangeons, nous le sommes aussi. À méditer.

Sur le plan de la non-dualité, du chemin : "qui" en nous est mangé ? "qui" nous mange ? Pourquoi cette dualité engendre-t-elle la souffrance comme la joie, donc une dépendance ? À méditer.

Si nous adhérons à cette vérité de l'annam — souvent développé par Râmana Mahârshi, comme par d'autres maîtres de l'advaïta, cela demandera de notre part — non une simple adhésion intellectuelle — mais une "participation" totale avec un nouveau regard, non seulement sur nous-mêmes mais sur ce qui nous entoure, avec une nouvelle vigilance, un nouveau discernement et dirai-je, avec une nouvelle joie, un nouvel émerveillement, une nouvelle reconnaissance. Pourquoi et sur "qui" ? **À méditer.**

C'est en cela que ce livre tire son originalité et sa nouveauté, car il traite de la "nourriture" sous tous ses aspects. C'est pourquoi nous avons **mêlé des recettes de cuisine âyurvédique** indienne (végétarienne et non-végétarienne selon l'âyurvéda) à **ces "recettes" de sagesse** — ou inversement. La fusion du matériel et du spirituel est issue de la même Source. Cette fusion c'est le fondement ou mûla de notre être.

Connaissant assez bien l'Inde, car y vivant depuis 1970 : 1970-1984 région du Gange et Darjeeling, Kalimpong, et depuis 1985 à Ooty dans le Sud, cette fusion s'est approfondie au fil des saisons, "en suivant le cours du torrent" de la vie… De là ce **livre de sagesse** — tant sur la nourriture du corps que sur celle de l'esprit.

Devenue la flamme de vie, Je pénètre le corps des êtres qui respirent et, m'unissant à leurs souffles vitaux (prâna et apâna), Je digère les quatre sortes de nourriture (celle qu'on mâche, suce, lèche et boit).

BHAGAVAD-GÎTÂ, VERSET 14

Selon l'âyurveda, le Sâmkhya et le vedânta, tout ce qui est fait partie du jeu de l'énergie cosmique ou shakti, sans cesse en action et issue de l'Absolu brahman. Cela a été développé en long et en large, sous des formes différentes dans des livres précédents, auxquels nous renvoyons le lecteur ; aussi nous n'y reviendrons pas.

Disons simplement — à la lumière de cette vérité du sarvam annam — qu'il n'y a rien d'indépendant, d'isolé. **Tout** est relié. Tout — à tous les niveaux — est relié, en yoga et vibre en osmose, en correspondance pour reprendre le terme de Baudelaire, ou en "sympathie" - tout comme vibrent en bourdon les petites cordes sympathiques du sîtâr, qui sont sous les cordes de jeu.

Bien nourrir, sans surcharger le corps et l'esprit, implique de notre part — non seulement davantage de vigilance, de discrimination et de compréhension, mais aussi de nous tourner vers une plus juste connaissance de nous-mêmes, et "si je me connais je te connais". Je connais mieux l'"autre", je comprends mieux sa "différence". C'est le chemin de la connaissance du Soi (adhyâtma yoga), qui passe d'abord par le relatif, c'est-à-dire soi-même, et c'est une merveilleuse aventure : celle d'ici et maintenant.

Cette vigilance ne doit pas tendre à tout ramener à soi — donc à renforcer la dualité, l'ego — même s'il faut être réunifié avant de nous libérer de nous-mêmes ; c'est tout le contraire. C'est un peu comme peler lentement un oignon, enlever chaque couche et s'apercevoir qu'en fin, il n'y a que vacuité (ou plénitude selon l'approche), de même pour notre être avec ses différents kosha ou niveaux d'identification.

Selon l'hindouisme, et principalement dans le vedânta et l'advaïta, l'âme pour s'incarner, doit s'envelopper de kosha, de revêtements, de fourreaux au nombre de cinq :

➤ anna-maya-kosha, revêtement fait de nourriture (le corps) ;
➤ prâna-maya-kosha, revêtement fait de force vitale ;
➤ mano-maya-kosha, revêtement fait de mental ;
➤ vijnâna-maya-kosha, revêtement fait d'intelligence ;
➤ ânanda-maya-kosha, revêtement fait de Béatitude (corps subtil) ; le dernier kosha.

L'âyurveda, comme les upanishad parlent de "corps quintuple". La Bhagavad-Gîtâ désigne par kshetra ou champs, ce corps à cinq dimensions, habité par le Connaissant ; le Soi. La voie du non-dualisme, c'est avant tout le retour à l'Absolu, mais en passant par adhyaropana, la désidentification par rapport aux cinq kosha. C'est le **retour à l'unité**, à la source.

Cette ancienne notion védique est une notion holistique — et qui sera le thème d'un prochain livre, *Prakriti* : la Naturopathie indienne et âyurvédique. Cette vie intégrale, incorpore et harmonise les plans physiques, mentaux et spirituels de l'être. Microcosme et macrocosme, vyashti et samashti ont la même structure. L'un se reflète dans l'autre et l'image est la même.

Les cinq Éléments pénètrent les cinq kosha. Cette pénétration inclus les éléments physiques, psychiques et spirituels. Tous sont en interaction les uns envers les autres. Les anciennes upanishad — donc bien antérieures à Shankarâcârya — donnent une autre dimension aux kosha en les appelant les cinq Soi ou panch-âtman : Soi physique (annamaya), Soi vital (prânamaya), Soi mental (manomaya), Soi de connaissance (vijnânamaya) et Soi de Béatitude (ânandamaya). Ainsi chacune de nos identifications devient spiritualisé. C'est un très beau concept.

Par la suite, Shankarâcârya changea ce concept des cinq Soi, en cinq kosha "recouvrant" le Soi, l'âtman. Ceci dit, du point de vue de l'unité, de la réalisation, le Soi n'est ni lié ni recouvert par quoi que ce soit.

Une autre approche est développée par les tantras. Là où les upanishad parlent de cinq âtman ou kosha, les tantras parlent de six chakra. Dans ce système, l'existence est vue comme la "découverte" du Soi à travers six niveaux différents, mais complémentaires de conscience.

L'autre approche holistique de la nature humaine, est basée sur le très ancien système de médecine indienne ou âyurveda, la Science de la Vie. Cette science est basée sur l'école philosophique du Sâmkhya et du Yoga. L'âyurveda fait partie des veda ou vedanga. Il est attribué au sage Bharadwaja et remonterait à 5 000 ans avant J.-C. C'est un état subtil d'équilibre entre le corps et l'esprit, entre le matériel et le spirituel à travers la science des trois guna du Sâmkhya et des trois dosha ou humeurs, et bien entendu du yoga — dans le sens le plus large du terme.

>─┤◇├─○─┤◇├─<

L'être humain ne peut vivre sans air. L'air grâce à la masse planétaire de la terre et sa vitesse de rotation, lui permet de se vêtir d'un manteau de gaz. Et la terre existe par l'action vitale du soleil, qui existe de par la galaxie. Et la galaxie comme part du macrocosme, et l'être humain en est le reflet.

Ce concept montre l'interdépendance de tout ce qui est, du visible comme de l'invisible, du monde de la matière comme du monde de l'esprit : sarvam annam. Depuis des milliers d'années, l'Inde et ses rishis se sont penchés sur ce mystère. D'âge en âge, des sages, des saints et des mystiques ont apportés leurs réponses — non tant au niveau de la parole ou de l'écrit — mais plus au niveau de leur manière d'être, de leur "émerveillante banalité" pour reprendre le terme de Krishnamurti.

Ainsi l'être est vu dans son ensemble, dans sa complexité, comme une manifestation de la force primordiale de prakriti, celle qui donna naissance aux cinq Éléments et dont nous sommes le reflet. Cette cosmologie contient en elle toutes les sciences classiques indiennes, comme la science de la vie quotidienne : la *science de la vie* ou âyurveda.

>—⊷—○—⊶—<

Umâ à l'hibiscus.

Approche holistique de l'Inde avec la nourriture

Soyez reconnaissants envers toute nourriture,
car la nourriture est Brahman, l'Absolu.

SVÂMÎ VIVEKÂNANDA
(Inspired Talks)

Avec ces paroles de Svâmîji, le ton holistique est donné. L'approche indienne place l'être dans sa globalité par rapport au cosmos et à l'Absolu.

Dans l'Inde védique, la nourriture était un sujet largement discuté, même par les sages. De nombreux passages des upanishad sont consacrés à l'étude de la nature et des fonctions de la nourriture. Ainsi la taittirîya upanishad (II, 2.1) dit :

La nourriture naquit avant les créatures ;
aussi elle est appelée la meilleure des médecines.

L'upanishad a formulé là le principe fondamental de la vie et de la santé holistique. Au moins la moitié des maux et maladies, ont pour cause — directement ou indirectement — les problèmes de nourriture.

De nos jours, pourquoi la nourriture fait-elle tant couler d'encre et devient "problème" ? Peut-être que si elle était vue simplement comme une source substantielle d'énergie, elle ne serait pas devenue un problème. La nourriture — à tous niveaux — est devenue une source majeure de plaisir, donc d'attachement et de dépendance — et d'une certaine manière, de souffrance.

D'un autre point de vue, la nourriture est une expression d'amour : l'amour des parents pour leurs enfants, l'amour de l'épouse pour son époux, l'amour des amis et ainsi de suite. La nourriture en Inde est aussi une expression de solidarité sociale et religieuse, donc de partage.

L'aspect négatif est le substitut de la nourriture par les problèmes émotionnels. Une vie creuse et terne, angoissée et stressée sera parfois compensée par une nourriture riche et abondante, trop sucrée (chocolat, gâteaux) ou trop relevée. Et la nourriture — comme le tabac et l'alcool —

devient compagne de la solitude. S'en suivent des problèmes comme l'obésité, le cholestérol, la constipation, la boulimie ou l'anorexie, l'insomnie, etc.

Terminons ce court chapitre, par ces quatre vrata ou observances énoncées par la taittirîya upanishad, III, 7.10 sur l'attitude que nous devons avoir envers la nourriture :

1. l'annam, la nourriture ne sera jamais insultée (en la cuisant improprement ou en la gâchant) ;
2. l'annam ne sera pas gaspillée ;
3. jamais un invité ne repartira sans avoir été nourri ;
4. la nourriture lui sera donnée sans compter.

Nous avons là l'illustration de cette parole védique : *atithidevo bhâva*, puisse votre hôte être honoré comme un dieu. C'est la notion indienne et sacrée d'hospitalité, considérée comme le sva-dharma, le devoir de tout un chacun.

Structure du livre

J'avoue que dans la pratique, le fait de trouver le juste lien entre une recette de cuisine et une parole ou un texte de sagesse, n'a pas toujours été évident ni facile. Il a fallu pas mal de lâcher prise, de non-agir ou *wou-wei* dans le sens taoïste du mot, pour que la réponse monte enfin d'elle-même et se transforme en évidence.

Disons que **chaque recette amène une réflexion, une méditation**, un prolongement dans ces paroles de sagesse, puisées auprès de Svâmî Râmdâs, srî Râmakrishna, srî Râmana Mahârshi, Mâ Ânanda Moyî pour les maîtres contemporains, ou auprès de Patañjali Lallâ, des poètes sanskrits comme Basavnna, Bhartrihari, Kabîr ou encore auprès de la Bhagavad-Gîtâ, les Dharma-sûtras, le Manu-smriti, le Tirukural, la "Bible" du Sud, le Râmâyana.

Par contre, nous n'expliquerons ni ne commenterons tous les liens entre chaque "recette". Au lecteur, et à la lectrice de le trouver au fil de sa préparation comme de sa méditation — ce qui est identique dans le contexte de non-dualité du sarvam annam. Il n'y a qu'à voir le soin extrême, l'attention portée à la préparation par des maîtres comme Râmana Mahârshi, svâmî Prajnânpad ou encore dans le zen. Il s'agit bien là de mettre en pratique ces paroles d'Arnaud Desjardins : "La grandeur n'est pas tant dans l'accomplissement de choses grandioses et admirables, mais dans les petites choses du quotidien", Krishnamurti y fait écho en disant du quotidien qu'"il est une émerveillante banalité". Qu'ajouter de plus ? Tout est dit.

Aussi ce livre a été divisé en trois parties, qui en sont les piliers, le fondement de notre être :

I • **La nourriture par rapport aux guna**, à notre nature sattvique, rajasique ou tamasique ;

II • **La nourriture par rapport aux dosha**, à notre énergie de type vâta, pitta ou kapha ;

III • **La nourriture d'Âshram, de Prasâd, selon la gîtâ et les sages**, du matériel au spirituel.

Chaque recette aura sa *correspondance* subtile avec les paroles d'un sage ou d'un texte. Elles illustreront la nature ou l'énergie particulière de chacun et que l'on retrouvera dans le choix et l'utilisation des épices et ingrédients.

Ainsi une recette de nature sattvique ou rajasique, sera illustrée par des paroles ou une histoire de même nature. Ou encore telle histoire contée par un maître, parlant par exemple de mangue, de banane, de lait, de sésame ou de miel, sera illustrée d'une recette à base de mangue ou tout autre. De même avec les dosha.

Toutes les recettes sont basées ici sur les principes de l'âyurveda. Notons que l'âyurveda ne condamne pas la viande. Aussi pour illustrer certaines fortes natures rajasiques ou l'énergie de type pitta ou kapha, nous avons inclus quelques recettes à base de mouton, de poulet, de poissons, de crustacées et d'œufs mais pas de bœuf.

Partie 1

Les guna et la nourriture

Comprenez bien que celui qui est engagé dans l'action,
est soumis au jeu (Lîlâ) de la Nature, de prakriti.
Les éléments constitutifs de la nature sont appelés guna,
car ce monde n'appartient pas à l'éternité (*mais au changement*).
La perception du monde constitué par les trois guna,
se situe dans le temps et est transitoire.

MÂ ÂNANDA MOYÎ

La Danse de Krishna.
Miniature illustrant le Sûr-Sâgar de Sûr-Dâs (XVᵉ).
École du Mewâr (du Râjasthân).
Coll. G.K. Kanoria, Calcutta.

Le Mewâr a donné naissance à l'une des plus anciennes et des plus belles écoles de miniatures indiennes. Le style est archaïque, la composition est compartimentée, avec des zones juxtaposées de couleurs plates. La texture est vive, éclatante et chaude. Couleurs qui cherchent avant tout à "colorer le cœur" du spectateur, à amener un rasa, un état d'âme, un sentiment. Notons que le style archaïque râjpoute, influença des peintres comme Gauguin, Matisse, les peintres fauves et expressionnistes en 1905.

Les guna et la nourriture

Le concept des guna a déjà été développé dans des livres précédents, comme le *Yoga de la Bhagavad-Gîtâ* et le *Yoga-Vâsishtha*, aussi nous ne ferons que résumer leur nature et action par rapport au *sarvam annam* ; à leur aspect cosmique et humain.

Il est intéressant de noter que cette théorie millénaire des guna est proche de l'actuelle science des biorythmes. Cette science en arrive à la conclusion que trois rythmes contrôlent la vie de chaque individu.

La plupart des vue indiennes et védiques sur la réalité peuvent s'interpréter en termes occidentaux et modernes. Mais peu de parallèles peuvent donner une juste définition de ces trois forces (guna) silencieuses qui sont à l'œuvre dans la nature et donc en nous, au cœur de chaque phénomène.

La Trinité de ces forces immanentes en ce qui est, ce sont les trois guna, "ce qui lie" : sattva, l'essence, la pureté ; rajas, l'activité et tamas, l'inertie. Ces forces sont issues de prakrit, la source commune ou Nature primordiale. Krishnaprem disait : "Les guna sont les fils tressés qui constituent la corde de l'être". L'être est semblable à un instrument de musique, qui vibre sous le jeu cosmique et divin.

Notons le sens de guna. Il signifie, selon le contexte : "fil, corde d'un instrument de musique" ou "qualité, attribut", mais aussi "condiment", ce qui donne le rasa, la saveur à un met comme à un individu.

On peut comparer prakriti à l'arbre banian sacré, qui prend racines vers le haut, dans le spirituel et étend ses branches vers le bas, le monde matériel. La partie "cachée" à nos yeux est le fondement, la "racine" originelle ou mûla prakriti — un état d'équilibre parfait. Sans forme ni identification. Indifférencié. Cet état sans aucune dualité, c'est sattva, l'essence, la pureté originelle, la lumière (prakâsh) pénétrant tout. C'est le non-mouvement, la non-dualité absolue appelée aussi chit, la pure Conscience.

Cette unité indivisée dans (l'apparente) division, manifeste d'elle-même l'espace — la première phase de la création ou manifestation selon l'hindouisme. Cette manifestation évoluant vers le bas, apparaît tamas, obstruant le flux de sattva.

Tamas est la cause première du monde du samsâra. Son obstruction et son inertie ou apavritti, amènent la descente

Cette activité amène l'énergie de rajas, le dernier guna. Ainsi l'on peut dire que sattva, la pure Conscience devient rajas et "dans un infime frémissement manifeste le monde", comme dit le Yoga-vâsishtha, attirée vers le bas, dans les dualités, les limitations de tamas, les formes individuelles.

Sur le plan de la dualité, on peut dire aussi que l'essence originelle est devenue — d'une certaine manière — *liée* (ou voilée) par la forme, forme perçue à travers le jeu de mâyâ, l'illusion. Le but de tout yogas, comme du yoga des plantes est de "dénouer les liens" (granthi), de retrouver la pureté originelle.

Sur le plan de la non-dualité, tout est dit évoluer à l'*intérieur* de la pure essence de sattva. Ainsi conscience, formes, illusion et dualité (ou identifications) ne sont qu'un de ses aspects. Tout est sat-chit-ânanda, être-conscience-béatitude.

>—◁▷—○—◁▷—<

Sattvam rajas tama iti
gunâh prakritisambhavâh
nibadhnanti mahâbâho
dehe dehinam avyayam

Les trois modes de la nature, sattva, rajas et tamas,
nés de prakriti, lient l'Indestructible (âtman)
qui réside dans le corps, O Arjuna.

BHAGAVAD-GÎTÂ, CHANT XIV, VERSET 5

Les guna sont exposés par Krishna à Arjuna dans la Gîtâ, Chants XIV et XVII. Ainsi l'on dit d'un être humain, comme d'une action, parole, pensée ou aliment, qu'il est de nature sattvique, rajasique ou tamasique — le plus souvent un mélange des deux, comme avec les dosha dans l'âyurveda. Les guna sont les trois tendances ou les trois liens qui forment la "corde tressée de la nature."

Non pas trois entités distinctes, mais sans cesse agissantes, en toute cohérence et en proportions variables ; l'une dominant l'autre. Trois formes d'une même existence, d'une même source. Les guna ne s'opposent ni ne se contredisent l'un l'autre ; disons plutôt qu'ils sont complémentaires — comme les systèmes de philosophie hindoue (darshana).

Ainsi quand la lumière de sattva domine, il repousse dans l'ombre tamas et rajas. Quand l'intense activité, passion et créativité de rajas domine (comme de pitta), il repousse l'inertie de tamas et la paix de sattva. Quand l'obscurité et la stabilité de tamas dominent, rajas et tamas sont repoussés dans l'ombre. À cet instant, l'homme sent venir la paresse, l'attachement. Il ne souhaite que rester là où il est.

Par contre, celui de nature plus sattvique, recevra peut être, plus de paix, de clairvoyance, de stabilité et de discernement. Celui de nature plus rajasique, recevra peut être, plus de désirs, de souffrance dans sa quête d'action et dans son intensité ; et il est possible que celui de nature plus tamasique, sera davantage lié par l'attachement. Un mélange des deux — comme avec les dosha — pourra donner du bonheur et de la souffrance, ou encore de la peine et de l'attachement.

Prenons une image : la cire de la chandelle est l'aspect tamasique (le fondement ; la matière est lourdeur) de la lumière. Pour être, elle a besoin de l'étincelle de l'allumette sur sa mèche afin que surgisse la lumière, la clarté sattvique.

La relation existant entre tamas et sattva est la même qu'entre la cire et la lumière. La cire est lumière sous sa forme grossière. La lumière, la forme subtile de la cire. Aussi les guna sont inséparables. Ils ne peuvent être qu'interconvertibles — l'un peut toutefois infléchir l'autre et prendre le pas sur lui, de même avec les dosha, ou encore le signe zodiacal ascendant prenant, avec l'âge, le pas sur le signe primordial.

Pour terminer ce chapitre. Le lecteur aura compris de lui-même qu'il y a des nourritures sattviques, qui donnent une énergie pure et affinée : c'est vérifiable, un steak tartare ou une tête de veau vinaigrette ne donneront pas la même qualité d'énergie qu'un riz au ghî ou qu'un sauté de légumes à la coriandre. De cela il n'y a pas l'ombre d'un doute.

Cette nourriture sattvique, facile à digérer, c'est celle des yogî et des sages, au tout au moins de ceux et celles qui se sont engagés sur un chemin. Par contre, la nourriture rajasique, carnée est échauffante, forte, épicée ; pour les personnes à la forte activité, de type pitta. Enfin la nourriture tamasique, ou encore les *junk-food* ou certaines *fast-food* prises en excès, plus lourde, fermentée, pas fraîche, produira une forte énergie, adaptée à ceux qui fournissent un grand effort physique, mais bien plus difficile à digérer.

Notons que la nature de certains aliments peuvent changer selon la manière dont ils sont préparés. Aussi chaque type de nourriture sera adapté à notre mode de vie et fera bien ce que nous sommes : sarvam annam.

Svâmî Râmdâs : transcender les guna

Passant la nuit dans la forêt, un voyageur fut attaqué par trois voleurs. Tous trois se saisirent de lui en même temps. Le premier le ligota soigneusement avec une corde, le second lui mit un couteau sous la gorge afin de le tuer. À ce moment, le troisième plaida auprès de ses deux compères pour lui laisser la vie sauve. À contrecœur il fut libéré, et le troisième larron l'accompagna même jusqu'aux abords d'un proche village.

Arrivé aux premières maisons, notre homme se vit sauvé, et tout à sa joie, il demanda au voleur de l'accompagner plus avant. Mais ce dernier avoua son incapacité de ne pouvoir l'accompagner plus loin sinon il serait arrêté par la police. Malgré sa bonne volonté, il restait quand même un voleur, comme ses compagnons. Et il s'en retourna.

Voyons maintenant qui sont ces "trois voleurs". Ce sont les guna ou "qualités" de la nature humaine, au nombre de trois et qui sont les causes de l'ignorance et de la servitude : rajas, la passion, essaye de lier l'âme aux désirs du corps (action du premier voleur) : tamas, l'ignorance, essaye de détruire l'âme en la soumettant à l'ignorance et à la torpeur (actions du second voleur ; et sattva, la pureté, essaye de la libérer des griffes de rajas et de tamas (action du troisième voleur).

Bien que sattva accompagne l'être jusqu'à la frontière, au-delà de laquelle se trouve la réalité de l'âtmâ, du Soi, il ne peut l'y faire pénétrer plus avant. Même sâttva guna n'a pas le moyen d'entrer dans le Royaume. Ces trois guna doivent être dépassés. Situez-vous dans gunâtîta, l'état au-delà des guna — c'est-à-dire dans l'Absolu, votre vraie nature (svarûpa). Celui qui en a eu l'expérience ne peut dire car il est devenu un avec la réalité — Dieu.

L'homme à la vision juste agit sans être concerné par le blâme ou la louange, car il trouve la joie dans l'acte même. Le réel péché consiste à accomplir ou à refuser les actions à travers l'attachement de moha, né du sens de l'ego et de la séparation (viyoga).

>—◦—◦—◦—◦—<

Ne plus être soumis au jeu-tyrannique et à la dépendance des guna, telle est le fondement de cette belle histoire dont Svâmî Râmdâs nous donne avec humour la "recette" ; à nous de l'appliquer ici et maintenant.

Le Soir qui est en nous n'est lié ni par l'action de prakriti, de la Nature, ni par l'action de rajas, ni par l'inertie de tamas, ni même par la pureté et la connaissance de sattva. Ce Soi est au-delà de toute définition et limitation. Plénitude englobant toutes les dualités, indivisé dans la division : il est.

À nous de mettre ces paroles en pratique — et non plus dans une simple adhésion intellectuelle, qui ne remet pas vraiment grand chose en question ! L'ego reste "sain et sauf"… L'injonction de Râmdâs nous demande de ne plus dépendre de l'action des guna — ou tout au moins de bien les voir afin de nous dissocier peu à peu de leur jeu — un peu comme de la dépendance d'une drogue, du tabac, de l'alcool, d'une personne ou d'un plaisir qui asservit.

Afin d'illustrer cette multiplicité des guna, nous avons choisi le nectar qu'est le *rasam*, ce consommé d'épices du Sud qui utilise nombre d'épices de guna et de dosha variés. Toute la palette est présente dans le *rasam*.

Le *rasam* ou saveur (de rasa) est un consommé assez relevé selon la préparation, les épices et les ingrédients. Il est particulièrement tonique et digestif, et se prend surtout en fin de repas (un peu comme le Trou Normand au Calvados pour les Français) ou encore accompagne un riz blanc, au ghî ou au citron ou pullao.

Il y a des *rasam* au poivre noir, à la tomate, au citron, au tamarin. C'est un peu l'"âme" du Sud, particulièrement le Tamil Nâdu. On peut préparer à l'avance cette poudre d'épices, *rasam-mâsalâ*, et la garder environ trois mois dans un bocal en verre, bien à l'abri du soleil, et de l'humidité — comme tous les mâsalâ d'ailleurs. Il doit être servi très chaud. En Inde nous le servons brûlant, comme le thé-mâsalâ, dans des petits gobelets (*tamla*) en métal ou en terre

Rasam : bouillon d'épices au tamarin

- ➤ 1 morceau de tamarin de la taille d'un citron
- ➤ 1/2 c. à café de poivre noir en grains
- ➤ 1 c. à café de graines de cumin
- ➤ 1 c. à café à soupe de graines de coriandre
- ➤ 1 pincée de curcuma
- ➤ 5 à 6 gousses d'ail
- ➤ 1 piment rouge ou 1 pincée en poudre
- ➤ quelques feuilles de curry et de coriandre
- ➤ sel

☞ Faire une pâte au mixeur avec le cumin, coriandre, poivre, ail, piment rouge et graines de moutarde.

☞ Faire tremper le tamarin dans 4 tasses d'eau chaude pendant 5 minutes et en faire un jus. Chauffer ce jus de tamarin avec le sel, le curcuma, la pâte d'épices, la coriandre fraîche hachée et feuilles de curry. Bouillir le tout pendant 15 minutes environ. En dernier, faire revenir dans un peu d'huile les restes de graines de moutarde, un peu d'ail et une pincée de piment. Verser sur le *rasam* et servez très chaud.

Remarque : à part le curcuma, la corandre et les feuilles de curry qui réduisent les excès de pitta, toutes les autres l'accroissent et réduisent kapha et vâta.

Svâmî Râmdâs : la charité illimitée de Mâ Krishnabâï

La vie de Mère Krishnabâï (mère de l'âshram) est une vie d'abnégation, l'illustration du don de soit total et absolu. Sa vision est universelle, son identité avec tous les êtres est totale car basée sur la réalisation de l'âtmâ, du Soi. Elle voit tous les êtres comme sa propre expression — il n'y a en elle aucun sens de la séparation, aucune dualité ou sens de l'ego. Pour Mâ Krishnabâï, il n'y a dans toutes les créatures que la manifestation d'un Corps physique unique et universel. Ce fait est démontré dans ses actions quotidiennes. Cette histoire vraie en est l'illustration.

Un homme très pauvre qui vivait très loin d'Ânand-âshram, et dans l'incapacité de nourrir sa nombreuse famille était en grande détresse. Un jour, il vint à l'âshram et demanda à parler à Mâtâjî. Il la supplia : "Mâ ! Mon épouse, mes enfants et moi-même mourrons de faim ! Je suis sans travail et je n'ai aucun moyen de gagner mon pain quotidien. Il n'y a personne qui puisse nous aider, alors je viens vous implorer. Sauvez-nous !"

Mâtâjî réfléchit et dit : "Serais-tu heureux avec une vache et son petit ? Tu pourrais ainsi vendre le lait et subvenir aux besoins de ta famille. Qu'en penses-tu ?" Le pauvre homme répondit : "Oui Mâ, cela me convient bien, mais le terrain sur lequel se trouve ma maison ne m'appartient pas, et il n'y a rien pour abriter la vache et son veau…." Alors Mâtâjî suggéra : "Ce problème peut être résolu facilement. L'âshram construira un abri et tu pourras ainsi y mettre la vache et son petit". "Ainsi c'est parfait" dit l'homme "mais je n'ai pas d'argent pour acheter le fourrage", "cela aussi peut être arrangé" répondit Mâtâjî, "il y a à l'âshram plein de foin pour nos vaches. Je t'en ferai porter plusieurs bottes".

En l'espace de quelques jours, l'abri était construit. La vache et son petit, le fourrage et les bottes étaient envoyés chez le pauvre homme. Et tout alla bien durant quelques jours. Un beau jour l'homme revint et dit à Mâtâjî en grommelant : "Mâ, la vache donne du lait, mais j'ai bien du mal à le vendre. Tantôt il n'y a pas d'acheteurs, tantôt on m'en offre un prix ridicule ! Que faire ?" — "Pourquoi te désoler ainsi ?" répondit Mâtâjî en souriant. "Il y a une solution facile. Nous t'achetons le lait. Aussi, à partir de demain, tu apportes tout le lait que tu peux. Il te sera payé un bon prix."

Après cela le pauvre homme fut heureux et put nourrir convenablement sa famille. Cette histoire illustre le seva, le service rendu à son prochain.

➤─◆─○─◆─◄

Nous avons avec cette histoire véridique, contée par svâmî Râmdâs lui-même, la démonstration de ce que sont vraiment la compassion et la non-dualité. L'attitude de Mâ Krishnabâï est toute de douceur et d'amour — digne de celle du Bouddha.

Il y a peu de recettes qui puissent aussi bien exprimer cette douceur (*madhu*) que le *Shrikhanda*, un simple mais délicieux dessert et prasâd, à base de crème de yaourt à la cardamome, très populaire au Mahârashtra et au Gujârat.

Finesse et douceur, qualité sattvique et légère sont représentées ici par le yogourt (ou faisselle), le sucre, l'essence de rose, la cardamome, la pistache et les amandes.

Shrikhanda

Le *shrikhanda* ou *shikarni* est un dessert d'une grande finesse. Il convient bien pour terminer un repas relevé, végétarien. On le trouve aussi au Népal.

➤ de préférence une faisselle fermière, sinon des yaourts nature et crémeux

➤ 4 c. à soupe de sucre roux en poudre

➤ 1 c. à café de cardamome en poudre

➤ 1c. à café d'essence de rose

➤ une pincée de safran (dilué avant dans un peu de lait)

➤ 25 g de pistaches et 25 g d'amandes émondées (non salées)

➤ c. à soupe de lait frais et 1 de crème fraîche.

☞ Bien égoutter la faisselle (environ 200 g, sinon 3 yaourts) et la battre avec la crème fraîche. Nouer le tissu fin afin que la faisselle s'égoutte bien. Puis ajouter la poudre de cardamome et le sucre roux (fin). Bien presser la faisselle qui, entre-temps a épaissi, avec la paume ou une large spatule.

☞ Y ajouter le safran (dilué dans un peu de lait tiède), bien le mélanger à la faisselle. Ajouter le lait, l'essence de rose. Mélanger doucement.

☞ Garnir de pistaches et d'amandes en petits morceaux, avec quelques graines de cardamome. Couvrir et mettre au réfrigérateur. Servir frais, si possible dans de petits raviers en terre — conducteurs de la saveur.

Remarque : si le Shrikhanda est de nature sattrique, notons que le yaourt nature convient en général aux trois dosha, ainsi que le safran. Les amandes et la rose réduisent pitta et vâta, toutefois les amandes et les pistaches peuvent accroître kapha.

Svâmî Râmdâs : le sâdhu coléreux

Les sâdhus de toute secte, croyance ou tradition sont les bienvenus à *Anandâshram*. Parfois, il y a parmi eux des querelles dans les dharmashâlâ de l'âshram. L'un dira à l'autre : "Hé ! Tu ne dois point me toucher. Va-t-en loin de moi ! Tu es de basse classe. Tu n'as aucune raison de t'asseoir si près de moi. Et pourquoi touches-tu ma feuille ? (sur laquelle est servie la nourriture). Tu as souillé ma nourriture !" et ainsi de suite…

Un beau jour, un sâdhu arriva à l'âshram mais il ne voulut pas prendre son repas en commun au réfectoire. Aussi, il cuisina à l'écart son repas. On lui donna les provisions et ingrédients nécessaires, tels que riz, dhâl (lentilles), ghî, légumes et de la farine pour cuire les galettes de chapâtî. Un jour, il prit un pot dans les cuisines de l'âshram pour garder de l'eau. Il avait, comme tous les sâdhu, son propre kamandalu (pot à eau des ascètes) pour boire et ses ablutions. Mais il gardait toujours à côté de lui l'autre pot à moitié plein, près de la feuille de bananier.

Un jour semblable aux autres, comme il s'asseyait pour manger la nourriture préparée et disposée par ses soins, arriva une des aides de l'âshram, une shûdra de basse classe. Elle voulait le pot "emprunté" : celui qu'elle utilisait pour laver les ustensiles de cuisine. Elle allait prendre le pot, quand le sâdhu furieux lui cria : "Comment oses-tu toucher à mon kamandalu ? Tu as souillé le lieu où je suis. Maintenant, je ne peux pas manger cette nourriture !".

Et notre sâdhu devenait de plus en plus furieux, criant après la malheureuse femme qui se protégeait derrière le pan de sa sârî. Soudain, emporté par la colère et gesticulant de plus belle, exaspéré par le silence de la pauvre femme, le sâdhu leva la main sur elle. Terrifiée, elle s'enfuit, poursuivie par le sâdhu et courut se réfugier auprès de Mâ Krishnabâï, la mère de l'âshram. Au bout de quelques minutes, un disciple vint trouver Mâ et lui dit : "Mâ, le sâdhu a pris toute sa nourriture et l'a jetée aux chiens ! Il est hors de lui et personne n'ose l'approcher. Que faire ?"

Le sâdhu était imposant et de forte stature, avec un regard de feu. Il avait une barbe grisonnant et les cheveux nattés et réunis au sommet du crâne en un petit jatâ (chignon) à la mode des ascètes shivaïstes. Un chapelet de rudrâksha battait sa large poitrine. Il semblait en imposer à son entourage. Mâtâji vit son emportement, et convint qu'il avait perdu tout contrôle. Il fallait le calmer.

Elle se dirigea alors vers les cuisines. Il y avait là des melons d'eau. Elle les coupa soigneusement en tranches. Elle prit aussi deux tendres noix de coco à la chair d'un blanc immaculé, ainsi qu'une belle mangue charnue et mûre à point. Elle plaça le tout sur un plateau, et demanda à une femme de la conduire auprès du sâdhu. Quand ce dernier vit le plateau avec les melons d'eau à la chair rouge et les autres beaux fruits, et Mâtâji se tenant calmement devant lui, sa colère se refroidit quelque peu. Mâtâji lui dit calmement : "Sâdhu cette femme qui travaille aux cuisines a commis une faute, mais sans le faire exprès. Veux-tu accepter ces quelques fruits ?" Et elle lui tendit aussi un gros pichet de lait frais. Alors le sâdhu s'assit, sans un mot et commença à manger. Plus les fruits et le lait diminuaient, plus sa colère diminuait.

Mâtâji est un dresseur de lion ! Quand le sâdhu eut terminé son repas, un large sourire éclairait sa figure. Maintenant, il était parfaitement détendu et joyeux. Mâtâji lui demanda alors : "Sâdhujî, comment te sens-tu ?", "Parfaitement bien" répondit-il.

Et de partout l'âshram il alla vanter la bonté illimitée de Mâtâji. "La nourriture que j'avais préparée, n'était rien en comparaison de la sienne !" clamait-il. "Ce que Mâtâji m'a donné, était un véritable nectar. Mon corps entier se consumait de colère, maintenant il est rafraîchi et je lui en suis reconnaissant".

>─◆>─○─◆─◆

Nous avons là la démonstration d'un mélange de colère et de paix, avec la nature rajasique du sâdhu et la nature sattvique de Mâ Krishna Bâï, la mère de l'âshram de svâmî Râmdâs.

Cette recette du Sud montre aussi ces deux aspects : rajasique avec les épices "chaudes" du garam mâsalâ, de l'ail (mais bon pour les conditions viciées de kapha et vâta) et sattvique avec les bananes, melon d'eau, mangue, noix de coco, ghî font partie des prasâd et nourritures d'âshram — à l'exclusion de l'ail tamasique et de l'oignon.

Curry de bananes du Sud

➤ 6 bananes vertes
➤ 2 gousses d'ail
➤ 2 oignons
➤ 2 c. à café de graines de coriandre
➤ 2 c. à café de garam mâsalâ
➤ 1 c. à soupe d'amchur ou poudre de mangue
➤ feuilles de coriandre, 1 yaourt, ghî, sel, noix de coco râpée.

☞ Faire une pâte avec l'oignon émincé, l'ail, le sel, le piment et les épices.

☞ Peler et couper les bananes en longueur. Les farcir de cette pâte et refermer les deux morceaux avec un cure-dent en bois. Frire les bananes dans le ghî. Lorsqu'elles sont bien dorées de chaque côté, ajouter le yaourt nature battu et finir la cuisson en ajoutant un peu d'eau si nécessaire.

☞ Décorer de feuilles de coriandre fraîches et hachées.

Remarques : si elle est prise avec excès, la banane augmente pitta et kapha, mais par contre réduit vâta.

Srî Râmakrishna : le pandit
qui ne savait pas nager

Un jour plusieurs hommes traversaient le Gange en barque. Un pandit lettré faisant étalage de son savoir, clamant qu'il avait étudié les veda, le vedânta et les six systèmes de philosophie. Il demanda à son voisin : "connais-tu le vedânta ?" "Non panditji". "Et le sâmkhya, et les yoga-sûtra de Patañjali ?" "Pas plus, panditji".

Et le pandit continua d'étaler son savoir devant ses compagnons, silencieux et respectueux. Soudain, la tempête se leva, et la barque était sur le point de chavirer. Alors son voisin lui demanda : "Panditji, savez-vous nager ?" "Et bien… non !" répondit le pandit, blême. "Alors" lui dit son compagnon, "je ne connais peut-être pas le sâmkhya et Patañjali, mais je sais nager !"

Qu'un homme gagnera-t-il en étudiant toutes les Écritures ? Pour lui la seule chose utile sera de savoir traverser l'Océan qu'est le monde. Dieu seul est réel, tout le reste est illusoire.

· ► ◄ ► ◄ ·

Cette histoire illustre la fausse connaissance des "détenteurs du savoir", mais aussi la nature rajasique et tamasique du lettré, faite d'orgueil et d'ignorance.

À cet effet, voici une recette légère — moins "pesante" que la stupidité du pandit : le poisson grillé du Sud aux épices. Pour changer, voici les épices qui peuvent aggraver le tridosha (il y a de faibles pitta et de plus forts, de même vâta et kapha) si elles sont prises en quantités et régulièrement, bien entendu : ainsi kapha peut être aggravé par l'ail et l'oignon, vâta par la coriandre et pitta par le piment rouge, le gingembre, le cumin et parfois par le beurre.

Poisson grillé du Sud aux épices

➤ 1 kg de poisson à chair ferme

➤ 1 gros oignon

➤ 1/2 poivron vert

➤ 1 bouquet de feuilles de coriandre

➤ 1 c. à café de cumin en poudre

➤ 1 pincée de piment rouge

➤ 1 petit morceau de gingembre

➤ 1 gousse d'ail

➤ 1 c. à soupe de bon vinaigre, beurre

➤ 1 feuille d'aluminium — à défaut d'une feuille de banane (on les trouvent dans certaines boutiques asiatiques)

☞ Hacher le poivron vert et les feuilles de coriandre. Mélanger tous les ingrédients au vinaigre. En frotter le poisson intérieurement et extérieurement.

☞ Envelopper le poisson dans une feuille d'aluminium après l'avoir beurré. Le mettre dans un plat à four huilé, puis à four moyen durant 15 minutes.

Remarque : le poisson d'eau douce n'accroît pas les trois dosha, par contre, le poisson de mer peut accroître pitta et kapha (sauf vâta).

Amaru : de l'amour

Elle perdit soudain connaissance
Quand il lui dit qu'il devait partir au loin.
Peu après, revenant à elle, dit en le voyant :
"Tu es revenu !
Mon amour, tu as été si longtemps absent".

Nous avons là un exemple de l'amour-passion. L'originalité de la scène surprend. Amaru est l'un des grands poètes de l'époque médiévale (VIIᵉ s.). Son style surprend par sa modernité et sa concision. Nous sommes loin du ton des poètes de l'"amour courtois" du Moyen Âge français.

Bhartrihari : et encore de l'amour...

Bien qu'ayant une lampe et un feu,
Les étoiles et le soleil pour me donner de la lumière,
Quand tu me caches ton regard,
Tout est nuit noire.

Les yeux, comme la chevelure et les seins, sont un des grands thèmes de la poésie amoureuse indienne. Les yeux, comme la chevelure noire, sont le symbole de grande beauté. Ici non seulement leur noirceur "obscurcit" la lumière, le feu, le soleil et les étoiles, mais elle est aussi source d'amour, c'est-à-dire de joie et de lumière.

Bhartrihari (VIIᵉ s.) présente une apparente contradiction, noirceur — lumière, afin de mieux mettre en relief le sujet. Dans un autre registre, les upanishad procèdent ainsi quand il s'agit de décrire la nature de l'Absolu brahman au-delà des dualités.

Rouge est la couleur rajasique de la passion, et des épices et condiments comme le piment rouge et vert, le gingembre, le cumin et l'asafoetida en attise le feu. Alors voici une recette "hot" : le curry de tomates du Mahârashtra.

Tamati cha sar : curry de tomates

- 8 tomates bien mûres
- 3 tasses de lait de noix de coco
- 2 piments verts, 3 gousses d'ail
- quelques feuilles de curry et de coriandre fraîche
- 1 c. à soupe de sucre
- 1 pincée de curcuma
- 1 c. à café de graines de cumin
- 1 morceau de gingembre, sel, 1 pincée d'asafoetida

☞ Mettre dans le mixeur les tomates épluchées et coupées en dés, le lait de coco, les piments verts, les feuilles de curry, le sucre, le gingembre, l'ail, le curcuma. Le gingembre sera épluché et coupé auparavant en dés.

☞ Verser le tout dans une cocotte et faire cuire jusqu'à ce que les tomates soient bien réduites. Oter du feu et reserver.

☞ Chauffer dans une petite poêle le ghî et faire sauter les graines de cumin et l'asafoetida. Puis verser les tomates et décorer de feuilles de coriandre.

Ce curry accompagne bien un riz blanc ou des pommes de terre sautées.

Remarque : la tomate cuite réduit pitta et kapha et vâta. Crue, elle peut accroître vâta et kapha. La noix de coco réduit vâta et pitta, mais accroît kapha s'il est déjà aggravé. Mais là encore, tout est question d'équilibre et de mesure.

Svâmî Râmdâs : l'aigre-doux de la vie

Un homme passait son chemin, quand il aperçu un aveugle. Il l'invita chez lui pour prendre un repas. Mais comme il était pressé et que l'aveugle marchait lentement, il lui dit de le rejoindre chez lui, là il lui donnerait un bon repas. Et notre homme alla de l'avant. En arrivant, il dit a sa femme de préparer un repas de plus, car il avait invité un aveugle à dîner. Sa femme répondit alors qu'elle préparerait, non pas un, mais deux repas. Avec étonnement, il lui demanda pourquoi deux. Elle dit simplement : "L'aveugle ne viendra pas seul, la route est longue. Il sera accompagné par quelqu'un pour le guider jusqu'à toi".

Cette histoire-parabole nous montre que le bonheur matériel ne vient jamais seul : il est toujours accompagné par la peine. L'un ne va pas sans l'autre. Les plaisirs des sens ne peuvent donner *que* le bonheur — nous en avons tous l'expérience. Aussi il faut transcender les dvandva, les opposés et découvrir au fond de nous la source unique de la joie, une joie qui n'est jamais remise en question par ceci ou cela.

La parabole peut aussi se comprendre ainsi — et amener à en méditer le sens : qui est l'aveugle ? Qui est celui ou celle qui va le guider sûrement ? Quelle est cette "demeure" qu'il lui faut atteindre ? **À méditer**.

Pour illustrer l'histoire avec ces dvandva — ces paires opposés (mais complémentaires), nous avons choisi deux recettes "aigre-douce", comme la vie : douce avec ce *khorma* au lait et amandes, un délicieux dessert originaire d'Hyderabad. Notons que les dattes, les raisins, les amandes et le sucre apaisent pitta.

Et une recette aigre et forte avec cette *chutney* de coriandre originaire du Sud, particulièrement relevée avec piment, gingembre, ail et un arrière-goût acide de par le tamarin, qui accroît pitta et kapha, s'il est pris avec excès.

Sheer korma d'Hyderabad
Dessert au lait et aux amandes

- 6 dattes
- quelques raisins secs
- 10 noix de cajou
- 6 amandes non salées
- quelques pistaches non salées
- 2 et 1/2 c. à soupe de ghî
- 1/2 de tasse de vermicelle (doré à la poêle)
- 4 tasses de lait frais
- 6 cardamomes écrasées
- 4 c. à soupe de sucre

☞ Couper les dattes en petits dés. Faire chauffer le ghî dans une poêle et y faire dorer les noix de cajou, les amandes, les pistaches et les raisins en remuant constamment. Mélanger le tout hors du feu avec les dattes et réserver.

☞ Dans le même ghî, faire dorer le vermicelle à feu doux durant 10 minutes tout en tournant. Réserver également.

☞ Dans une casserole à fond épais, faites bouillir le lait et y ajouter le vermicelle, la cardamome et le sucre. Mélanger jusqu'à ce que le sucre soit fondu. Cuire environ 15 minutes sans couvrir, en mélangeant souvent. Ajouter les fruits secs et cuire encore 5 minutes.

Servir chaud ou froid dans de petits bols individuels, à tous moments de la journée, avec un thé Earl Grey pointes blaches ou du Yunnan par exemple.

Chutney de coriandre du Sud

- ➤ 2 bouquets de coriandre fraîche
- ➤ 1 tasse de feuilles de menthe fraîche
- ➤ 1 piment vert haché
- ➤ 1 c. à café de graines de cumin
- ➤ 1 c. à soupe de gingembre haché
- ➤ jus d'un citron vert, sel

☞ Mélanger tous les ingrédients et les passer au mixeur pour en faire une pâte fine, avec très peu d'eau. Y ajouter le jus de citron. Bien mélanger. Garder cette *chutney* dans un pot en verre au frigidaire environ une semaine. La servir avec des snacks, tels que kababs, samosas ou en accompagnement d'un repas, d'un pain indien.

Svâmî Râmdâs : Les deux oiseaux

Deux oiseaux se tenaient sur un arbre. L'un était sur la plus haute branche, immobile, calme, serein et paisible. L'autre se tenait sur la branche la plus basse, à la recherche des fruits. Quand il mangeait un fruit doux, il était heureux. Quand le fruit était amer, il était malheureux. Il était agité, instable, sans cesse en quête d'un fruit qui lui apporterait ou de la joie ou de la peine.

Mais un beau jour il aspira à ne plus dépendre de ces deux états. Alors il regarda vers le somme de l'arbre, à la recherche de la paix. Et il vit son compagnon sur la plus haute branche, joyeux et en paix. À cet instant précis, l'oiseau sur la branche inférieure disparu – ne resta plus que celui sur la haute branche. Il était devenu un avec lui.

Quand nous tournons notre regard vers le monde divin, nous devenons à son image et un avec lui. Sans cela nous restons soumis à l'anxiété et aux tourments.

— ⚌◆⚌ —

Nombreux sont les maîtres indiens qui enseignent à travers la simplicité et la véracité de la parabole – comprise par tous même des illettrés. Le maître en explique ensuite le sens, si besoin. Mâ Ânanda Moyî procédait de même, surtout srî Râmakrishna et Râmdâs, Râmana Mahârshi également.

Nous avons là illustré deux natures différentes : sattva et tamas (ou encore vâta et kapha dans une certaine mesure). Tamas est dans l'ignorance, sur la branche, dans son monde inférieur ; sattva est établi dans la vérité, sur la branche supérieure. Aussi voici deux recettes opposées dans leur nature et leur goût. Tamas est représenté par ce curry de porc de Coorg (non loin de Coty, dans le Sud de l'Inde) et sattva par ce riz au citron du sud.

Porc vindaloo de Coorg

- ➤ 750 g de porc coupé en dés
- ➤ 6 oignons hachés
- ➤ 1 ou 2 piments rouge
- ➤ 1 c. à soupe de graines de cumin et de coriandre
- ➤ 8 grains de poivre noir
- ➤ 1 pincée de curcuma
- ➤ 2 c. à soupe de bon vinaigre
- ➤ 2 pomme de terre (bouillies) coupées en gros dés, sel

☞ Passer au mixeur les oignons, les piments et toutes les épices pour en faire une pâte avec très peu d'eau.

☞ Mélanger aux morceaux de porc et mettre le tout dans une cocotte en fonte (si possible) en recouvrant d'eau. Saler et cuire jusqu'à mi-cuisson, puis ajouter le vinaigre, les pommes de terre et finir la cuisson jusqu'à ce que la sauce épaississe.

On trouve des variantes du porc *vindaloo* à Goa.

Remarque : la viande de porc peut accroître les doshas s'ils sont déjà aggravés. Notons que le vinaigre réduit vâta. En revanche, à forte dose, il peut augmenter pitta et kapha

Riz au citron vert

- 250 g de riz cuit
- jus de quatre citrons verts
- 1 c. à café de curcuma
- 50 g de ghî ou d'huile
- 1 c. à café de graines de moutarde
- 2 piments verts
- quelques feuilles de coriandre

☞ Faire fondre le ghî dans une poêle et y dorer les graines de moutarde et les piments verts coupés en dés.

☞ Ajouter le riz, le curcuma, les jus de citron et les feuilles de coriandre. Bien mélanger et couvrir. Si possible terminer la cuisson au four. Servir chaud.

Ce riz au citron vert est un plat particulièrement sain et sattvique. Notons que le curcuma a de fortes propriétés antiseptiques. C'est un antibiotique naturel. Il convient particulièrement à pitta et kapha. Les graines de moutarde sont rééquilibrantes pour les trois dosha ; le riz brun, le blanc convient moins à kapha, sauf le riz basmati, sauvage (avec modération).

Srî Râmakrishna : Shankara et le boucher

Shankarâchârya était un brahmajnâni, c'est certain ! Mais au début lui aussi était dans la dualité. Il n'avait pas cette conviction absolue que tout dans le monde, est brahman. Un jour, après avoir terminé ses ablutions dans le Gange, il vit un hors caste, un boucher portant un quartier de viande. Par maladresse, le boucher le toucha en passant. En colère, Shankara s'écria : "Hé toi ! Tu oses me toucher ?" "Panditji," dit le boucher, "**Je** ne t'ai pas touché, pas plus que **tu** ne m'as touché. Le Soi ne peut être le corps, ni les cinq éléments, ni les vingt-quatre principes cosmiques." Alors Shankara réalisa son erreur.

><del>-+◆-◇-◆-+-<</del>

L'attitude du jeune Shankara est un mélange de rajas et de tamas guna. Ce simple boucher – décrété hors caste – lui fit réaliser qu'il était encore sous l'emprise de mâyâ et de la dualité.

Cette recette du Nord, illustre pitta (rajas) aggravé par la viande, les abricots, le gingembre et le piment, et kapha par l'ail et certaines épices du *garam mâsalâ* – par contre le safran équilibre les tridosha.

Poulet aux abricots frais

- ➤ 1 poulet fermier coupé en morceaux
- ➤ 250 g d'abricots frais
- ➤ 2 oignons moyens, 2 gousses d'ail
- ➤ 2 tomates
- ➤ 1 petit morceau de gingembre
- ➤ 1 pincée de piment rouge
- ➤ 1 pincée de safran
- ➤ 1 c. à soupe de lait chaud
- ➤ 4 c. à café de garam mâsalâ, huile de tournesol, sel

☞ Dénoyauter les abricots et hacher les oignons. Ebouillanter les tomates, les peler, puis les couper grossièrement. Faire une pâte au mixeur avec l'ail, le gingembre et le piment. Délayer le safran dans un peu de lait chaud.

☞ Dans une cocotte faire dorer dans l'huile, les oignons, puis l'ail, le gingembre et le piment. Y ajouter les morceaux de poulet, le garam mâsalâ, les tomates et le sel. Recouvrir d'eau et laisser à feu doux jusqu'à cuisson du poulet. Lorsque la chaire devient tendre, ajouter le lait de safran et les abricots. Laisser encore mijoter 1/2 heure jusqu'à ce que les abricots soient cuits, mais encore fermes. Servir chaud.

Remarque : le poulet (pilons, etc.) réduit vâta, en revanche, il peut accroître pitta et kapha (pilons, etc.), mais les blancs (avec modération) réduisent vâta, pitta et kapha. Les abricots doux conviennent aux trois dosha ; l'abricot, acide, l'est un peu moins pour pitta.

Bhartrihari : la douceur éphémère

Doux sont les rayons de lune, et douce l'ombre des arbres
Et la compagnie des sages.
Douces sont les histoires classiques,
Très douces à voir sont les larmes
Qui coulent des yeux rougis par une feinte colère
De sa propre épouse ;
Toutes sont douces, bien entendu.
Mais à quoi te serviront-elles
Tant que tu ne sentiras pas dans tes os,
Que ces douceurs sont toutes éphémères ?

Si ce beau poème parle de la douceur éphémère des choses — jeu de mâyâ — de même ce *rava* à la semoule dont le rasa, la saveur est toute de douceur avec le lait, la semoule fine, les raisins dorés, les amandes, et tout de chaleur "légère" avec les cardamomes et la noix de muscade — mais qui accroissent pitta en excès.

Rava, dessert parsi à la semoule

- 1 tasse de semoule fine (boulgour ou couscous)
- 4 tasses de lait frais
- 4 c. à soupe de sucre
- 2 c. à soupe de ghî fondu
- quelques cardamomes écrasées
- 1 pincée de noix muscade
- 1 c. à soupe de raisins secs
- 8 amandes coupées en lamelles

☞ Faire chauffer le ghî et dorer légèrement les raisins et les amandes. Réserver. Dans ce ghî, faire dorer la semoule à feu très doux en mélangeant pendant 3 minutes jusqu'à ce quelle ai pris une belle couleur brune. Ajouter le lait petit à petit en mélangeant 5 minutes. Ajouter le sucre et continuer la cuisson de la même manière durant 10 minutes jusqu'à ce que le mélange épaississe un peu.

☞ Verser cette préparation dans un plat en garnissant avec les cardamomes, la noix de muscade, les raisins frits et les amandes.

Servez chaud ou froid. Peut se prendre avec un thé du Yunnan ou un Earl Grey pointes blanches, ou encore un Chine fumé.

Remarque : si le couscous et les raisins secs conviennent bien à pitta et kapha (avec modération), ils conviennent moins à vâta.

Bhartrihari : Satsang

Le lait, quand ajouté à de l'eau pure,
A une saveur et une couleur particulière.
Quand le lait est placé sur le feu,
Son amie l'eau, concernée, s'évapore
Et notre lait manque de se répandre sur le feu ;
(l'eau l'empêchant de bouillir vraiment)
Mais, mélangé de nouveau à son amie l'eau,
Il s'apaise :
De même le satsang, la compagnie des sages.

⤞⬩⬥⬩○⬩⬦⬩⤝

Bhartrihari enseigne, lui aussi, à travers les analogies, paraboles et métaphores. Celle du lait et de l'eau en est un exemple. Le sage comprend et tempère la nature de l'ami qui n'a pas cette sagesse et liberté intérieure. Nous en avons tous l'expérience. C'est ce qu'Arnaud Desjardins, avec sa science du mot juste nomme "l'ami spirituel", celui qui nous accompagne un temps le long du chemin. C'est la notion indienne du satsang : la compagnie (sangha) des sages (sat, la vérité).

Ce poème médiéval nous parle de lait — sattvique par excellence, qui mélangé à de l'eau, "tempère" sa réaction une fois placé sur le feu (de ses émotions, désirs, etc.). L'eau pure et sattvique, c'est le sage. Le lait, versatile, c'est la nature rajasique et sattvique à la fois, de l'homme qui se dirige — lentement mais sûrement — vers la sagesse. Tous deux sont complémentaires : le premier donnant plus que le second (d'un point de vue relatif).

Du point de vue de la non-dualité, personne n'apporte quoi que ce soit à un "autre" - car l'autre n'est que **lui-même** dans sa vérité d'âtmâ, de Soi.

Pour illustrer cette complémentarité lait-eau, nous avons choisi la recette du *lassi*, un boisson particulièrement pure et rafraîchissante au yaourt aigre, épices et fruits secs, et dont le lait et l'eau sont à la base : leur mélange donne le *lassi*, une boisson de sagesse, un nectar des dieux.

Sweet lassi

➤ 2 tasses de yaourt nature
➤ 1 tasse d'eau
➤ 4 c. à café de sucre
➤ 4 cardamomes écrasées (sans la cosse)
➤ 1 c. à soupe de pistaches (non salées)
➤ 1 c. à café d'essence de rose

☞ Dans un saladier bien mélanger le yaourt et l'eau, jusqu'à une consistance liquide mais crémeuse.

☞ Ajouter la cardamome en poudre, le sucre fin et l'essence rose. Bien mélanger.

☞ Emincer les pistaches et les mettre sur le dessus du lassi. Servir froid.

Cette boisson convient bien l'été et après un repas particulièrement relevé. On peut aussi mettre des fruits frais : mangue, prune, ananas, etc. ou des feuilles de menthe fraîche.

Remarque : discernement pour la prise du yaourt :
— entier, glacé, avec fruits : accroît vâta et pitta si aggravés ;
— fraîchement préparé et dilué : réduit pitta et kapha ;
— dilué et épicé : réduit vâta (mais avec modération).

Srî Râmakrishna : le retour à la Mère divine

Srî Râmakrishna : Celui qui naît avec une nature de Vishnou, ne peut se débarrasser de la bhakti (dévotion).

Un jour je tombais entre les mains d'un jnânî, qui me fit entendre du vedânta (non-dualité) durant 11 mois. Mais il ne put jamais m'enlever les semences (duelles) de la bhakti. Où qu'aille mon esprit, il revenait toujours à la Mère divine (*Kâli identifiée ici au Brahman*). Quand je chantais pour elle, Nangta pleurait et disait, "Ah! qu'est-ce que cela?" Voyez-vous, il était un si grand jnânî (*libéré, qui suit la voie de la connaissance*) et malgré cela pleurait.

Un dicton populaire dit, que si un homme boit le jus de la plante grimpante *alekh*, une plante pousse dans son estomac.

Une fois que le germe (bîja) de la bhakti est planté, l'effet est indésirable : elle donnera peu à peu naissance à un arbre avec des fleurs et des fruits.

Vous pouvez raisonner et argumenter un millier de fois, mais si vous avez en vous la semence de la bhakti, vous reviendrez à Hari (Vishnou).

>-i-⟡-○-⟨⟡-i-<

Râmakrishna le bengâlî, était l'image même de la bhakti tout amour et douceur. Son amour prend son fondement dans la connaissance — l'un n'allant pas sans l'autre.

Son upa-guru fut, un temps, Totapuri. Un ascète et yogî pratiquant la non-dualité de l'advaïta-vedânta. Râmakrishna parlait de lui comme Nangta, l'homme nu.

Pour illustrer sa nature sattvique et bhakti, voici un simple et délicieux dessert bengâlî d'une grande finesse, le *sandesha* ; on ne peut plus pur avec la noix de coco, l'essence de rose, les feuilles d'argent et le lait.

Sandesha à la noix de coco

- ➤ Paneer, fromage indien (fait avec 1 l. de lait)
- ➤ 250 g de sucre roux
- ➤ 1 tasse de noix de coco finement râpée
- ➤ 1 c. à café de graines de cardamome
- ➤ 1/2 c. à café d'essence de rose
- ➤ feuilles d'argent ou warak
  (le warak se trouve dans les épiceries orientales)

☞ Prendre de la noix de coco très sèche et mélanger avec le paneer. Passer au mixeur avec le sucre et la cardamome.

☞ Faire cuire doucement dans une casserole à fond épais, jusqu'à ce que le mélange épaississe et réduise.

☞ Otez du feu, y mélanger l'essence de rose. Etaler le tout sur une grande assiette beurrée. Couvrir avec les feuilles d'argent (l'argent, un oligo-élément, a de fortes propriétés naturelles) et découper en losanges ou "diamond" lorsque le *sandesh* est refroidi.

Pour la recette du *paneer* voir pages suivantes : Svâmî Râmdâs, Dieu et le guru sont un. Recette de koftas à la crème.

Remarque : cette sorte de fromage blanc, doux et mou fermenté convient bien à vâta et pitta, mais moins à kapha, sauf le fromage blanc au lait de chèvre écrémé.

Srî Râmakrishna : l'ego,
expansion ou effacement ?

Shankarâcârya avait un disciple qui le servait (guru-seva) depuis longtemps et sans recevoir aucun enseignement en retour. Un jour, Shankara entendit des pas derrière lui et demanda: "Qui est-ce?" le disciple répondit: "C'est moi." Alors le maître lui dit: "Si ce "je" t'est si cher, ou expands-le à l'infini ou renonces-y."

>─◆─○─◆─<

Tous les maîtres demandent aux disciples de travailler sur eux-mêmes, de réduire les dualités comme les désirs, d'effacer et non de renforcer l'ego et ses fausses identifications. Tous les yogas conduisent à la plénitude et à la joie — non pour celle de l'ego, mais pour celle de l'âtmâ, du Soi. Les méthodes, les approches diffèrent, mais toutes ont pour but de conduire à l'éveil et quand il y a éveil, la perception des choses et des êtres diffère : **un changement qui s'accomplit dans l'inchangé.**

Bien entendu une nourriture sattvique aidera à cette transformation de tous les niveaux d'identification (adhyâropana). Nous avons choisi cette recette sattvique du Mahârashtra, la *raïta* aux poivrons. Le yaourt qui est à la base de cet accompagnement, réduit pitta et rajas, de même le cumin et la coriandre. Cette *raïta* se sert avec un riz blanc ou pullao, ou un sauté de légumes secs, ou encore accompagné d'un pain indien et d'une chutney de menthe ou de citron vert par exemple.

Poivrons au yaourt du Mahârashtra
"Mirchi cha raïta"

➤ 2 gros poivrons coupés en cubes
➤ 100 g de yaourt nature bien battu
➤ 1/2 c. à café de garam mâsalâ
➤ 1 c. à café de sucre
➤ 1 c. à café de cumin en grains
➤ quelques feuilles de coriandre, un petit piment rouge, sel

☞ Bien mélanger les poivrons avec le yaourt, le sucre, le sel et les feuilles de coriandre hachée. Parsemer de garam mâsalâ et d'une pincée de piment rouge en poudre.

☞ Faites chauffer un peu de ghî et faire sauter le cumin. Vereser sur la sauce de yaourt et servir bien frais.

Remarque : le poivron doux et piquant accroît vâta mais non kapha. Toutefois, le doux convient à pitta, mais non le piquant.

Bhartrihari : un mental tamasique

Ce n'est qu'en pressant fortement
    que vous obtiendrez de l'huile du sable ;
Et si vous avez soif, alors buvez tout votre content
    l'eau du mirage.
Tôt ou tard vous pourrez trouver un lapin à corne :
Mais n'espérez jamais changer
    le mental tamasique et têtu d'un insensé !
Si vous arrivez à vous saisir du joyau
    qu'un crocodile tient dans sa gueule,
Si vous pouvez traverser à la nage
    l'océan alors que rugit la tempête,
Et si vous pouvez éviter la morsure
    d'un cobra endormi sur votre tête,
Vous n'arriverez toujours pas à changer
    le mental tamasique et borné d'un insensé !

***

"Que cela est bien tourné et de grand savoir !" aurait pu faire dire Molière à son *Bourgeois Gentilhomme*. Bhartrihari n'a pas son pareil pour manier aussi bien l'humour et le mot juste. Il nous dit là, que vouloir changer un esprit tamasique est quasi "mission impossible" !

Afin d'illustrer tamas, voici cette recette d'*ambal* utilisant l'aubergine — appelée "Black beauty" en Inde — un légume qui est à la fois tamasique pour une nature pitta et vâta, mais par contre son effet sera bénéfique sur kapha et tempérera son action.

Aubergines et tomates ambal du Bengale

- 250 g d'aubergines
- 250 g de tomates
- 1 c. à café de graines de moutarde
- 1/2 c. à café de curcuma
- 1 c. à café de sucre
- 1 c. à soupe de feuilles de coriandre
- 1 piment vert coupé en deux ou 1 piment rouge
- 3 c. à soupe d'huile, sel

☞ Couper les aubergines en morceaux. Faire chauffer dans une poêle l'huile, puis ajouter les graines de moutarde et le curcuma. Lorsque les graines s'arrêtent de crépiter, ajouter les morceaux d'aubergines et faire revenir à feu doux durant une quinzaine de minutes.

☞ Ensuite verser les tomates, le sucre et le piment (ou poivre). Continuer la cuisson jusqu'à ce que les légumes soient cuits. Décorer de coriandre. Se sert ou chaud ou froid.

Remarque : la tomate cuite réduit les excès de vâta (mais prise avec modération) et de kapha ; crue, elle peut aggraver vâta, pitta (crue et cuite) et kapha si déjà en excès.

Svâmî Râmdâs :
Les qualités d'un vrai sâdhu

Un sâdhu ayant terminé ses ablutions matinales dans la rivière, s'assit sur une pierre, au bord de l'eau et commença de méditer. Cette pierre servait à un dhobi (blanchisseur) pour laver le linge. Peu après, le dhobi arriva avec un âne chargé de linges à laver. Il posa à terre ses ballots, puis attendit patiemment que le sâdhu lui laisse la place libre afin de pouvoir commencer son travail. Le sâdhu ne bougeait pas. Au bout d'un moment, le dhobi lui dit avec respect et humilité : "Mahârâj, si vous pouviez avoir la bonté de quitter cette pierre et vous asseoir un peu plus loin, je pourrai ainsi commencer mon travail. Il se fait tard."

Le sâdhu en daigna même pas répondre au dhobi, ni ouvrir un œil. Ce dernier appela de nouveau le sâdhu avec respect, mais en vain. Comme le soleil commençait de tomber, il prit doucement la main de l'ascète, essayant de l'entraîner un peu plus loin. À ce contact qui, pensait-il, le souillait, le sâdhu repoussa avec force le dhobi. Celui-ci perdant patience, et voyant le sâdhu fort en colère le poussa fermement de la pierre sur laquelle il était assis depuis le matin. Le sâdhu invectiva alors le dhobi de mots choisis et coléreux. Le dhobi était un homme robuste. Rapidement il fit tomber notre sâdhu et s'assit sur sa poitrine ! Etant dans une position humiliante et inconfortable, ce dernier implora le seigneur : "ô mon Dieu, j'ai accompli le pûjâ (rituel d'offrandes) avec foi et dévotion et malgré cela tu ne viens pas me libérer de ce dhobi enragé !"

Au même instant, le sâdhu entendit une voix qui lui disait "Sâdhuji, ce que tu dis est juste. Je veux bien te libérer, mais la difficulté réside en ce que je ne peux distinguer de vous deux qui est le sâdhu et qui est le dhobi !"

À ces paroles, l'orgueil du sâdhu fondit. Il demanda au dhobi de lui pardonner et, depuis montra de la compassion (karuna) et de l'amour (prema) pour son prochain, et devint un vrai sâdhu."

><+>-O-<+>-<

Les savoureuses histoires de "sâdhu en colère", étaient toujours racontées avec beaucoup d'humour et de drôlerie par Svâmi Râmdâs, "Papa" comme l'appelaient affectueusement ses disciples. Voici encore un exemple d'une nature rajastique et d'énergie pitta.

Cette délicieuse recette de *keema* parsi, illustre ces qualités rajasiques et échauffantes avec la viande d'agneau, puis avec le gingembre, le piment, l'ail (tamasique) — tempérées par la coriandre, le curcuma, le sucre. Par contre, gingembre et piment réduisent les excès de vâta et de kapha, et le curcuma réduit pitta et kapha et la coriandre pitta.

Et c'est de même que notre sâdhu passa d'une nature rajasique à une nature sattvique, et devint "un vrai sâdhu".

Kheema parsi

- 700 g de viande d'agneau haché
- 3 oignons
- 1 c. à soupe de pâte d'ail et de gingembre frais
- 1 pincée de curcuma et de piment rouge
- ghî
- 2 tomates hachées
- 1 piment vert coupé en deux
- quelques feuilles de coriandre émincées
- 1 petit verre de vinaigre mélangé à 1 c. à café de sucre roux
- 1 petit verre d'eau

☞ Faire dorer les oignons émincés dans le ghî. Y ajouter la pâte d'ail et de gingembre, le curcuma et le piment rouge. Bien mélanger. Frire 15 minutes pour bien dorer l'agneau.

☞ Puis rajouter les tomates et le piment vert. Saler. Ajouter l'eau et amener à ébullition. Baisser le feu et faire mijoter 30 minutes.

☞ En dernier, seront ajoutées les feuilles de coriandre, le vinaigre et le sucre roux durant les dernières minutes de cuisson.

Svâmî Râmdâs : Dieu et le guru sont un

La méthode avec laquelle on apprend à parler à un perroquet est unique. Le dresseur place un grand miroir en face du perroquet, et lui-même se tenant dissimulé derrière le miroir, parle à l'oiseau. Ce dernier pense que c'est un autre perroquet qui lui parle. Alors il cherche à l'imiter. Dressé habilement de cette manière, le perroquet copie la langue de son "compagnon" et commence ainsi à parler le langage des humains.

Parfois, c'est ainsi que les sages enseignent aux disciples. Apparemment c'est un être humain qui donne l'illumination et l'initiation. Aussi, toutes les fois que le disciple recevra des instructions du guru, il devra réaliser que ces instructions viennent de Dieu lui-même, sous la forme humaine du guru. En vérité, Dieu et guru sont un, *ishvaro gurumâtmeti*.

>⊷⊶⊷○⊷⊶⊷

Une courte histoire de Svâmi Râmdâs, mais lourde de sens. Le Divin est immanent en tout, dans le guru comme dans le disciple. Le maître n'est qu'un miroir qu'il place devant son disciple — devant *le* disciple plus exactement. À lui de voir ce qui est au-delà du nom et de la forme. Et "qui" est vu et "qui" voit ?

Disciple de Mâ Ânanda Moyî, donc d'une certaine manière "attaché" à sa forme physique (mais sans dépendance), le processus de séparation après son départ en 1982, puis de plénitude, s'est révélé au fil des années comme une "présence" (samyoga) de plus en plus profonde et "légère" (le lecteur comprendra le sens du terme). C'est quelque chose que rien ni personne en peut vous enlever. Peut-être comme un parfum tenace (vâsanâ).

Il y a là un processus de potentialité, de maturation et de transformation, très bien explicité dans... cette recette de *kofta*. Nous avons le fondement de la "recette" (du processus) avec le lait et de sa pureté. S'en suit un processus de "transformation" avec l'intervention du jus de citron — le catalyseur (le maître) — ; ce qui nous donne un fromage indien appelé *paneer*.

À quoi, à qui pouvons-nous comparer le lait ? le citron ? Quel sens donner au liquide devenu forme, et en qui cette forme s'incarne-t-elle ? Et y a-t'il vraiment *transformation*, c'est-à-dire passage d'un état à un autre ? **À méditer.**

Koftas du Gujarât à la crème

Pour faire le paneer :

Faire bouillir un litre de lait frais et y ajouter le jus d'un citron (vert si possible). Bien mélanger, et lorsque le lait commence à cailler, retirer du feu. Verser dans une mousseline fine que vous attacherez et suspendrez en prenant soin de disposer un récipient juste en dessous de façon à protéger votre cuisine des éclaboussures. Laisser goutter pendant la nuit. Placer ensuite un poids de manière à aplatir la préparation et à en extraire tout le liquide restant.

On peut faire sauter le *paneer* à la poêle ; dans ce cas, il prendra une belle couleur dorée. On peut aussi le parfumer d'un peu de curcuma ou de safran. Sauté, il peut être ajouté à certains plats juste avant de servir.

1. Ingrédients pour les koftas

➤ 250 g de paneer
➤ 3 c. à café de farine blanche
➤ 1/2 c. à café de levure bio
➤ 1 pincée de piment rouge
➤ sel, huile pour friture

2. Ingrédients pour la sauce curry

➤ 4 belles tomates coupées en dés
➤ 1 oignon haché
➤ 1 morceau de gingembre haché
➤ 5 clous de girofle
➤ 1 pincée de piment rouge
➤ 2 gousses d'ail haché
➤ 1 pincée de curcuma
➤ 1 pincée de garam mâsalâ
➤ 1 c. à café de crème fraîche
➤ feuilles de coriandre, ghî, sel

☞ Prendre les ingrédients destinés aux koftas et bien les passer au mixeur pour un faire une pâte bien lisse. Faire de petites boules avec cette pâte et les faire frire dans l'huile bouillante. Réserver.

☞ Dans une autre poêle, faire chauffer le ghî et faire revenir les graines de cumin, l'oignon, le gingembre, l'ail haché, ainsi que le curcuma, la coriandre et le piment rouge avec le sel. Couvrir et laisser cuire 5 minutes.

☞ Ajouter les tomates, le yaourt battu et le garam mâsalâ. Garnir avec les feuilles de coriandre fraîche.

Remarque : si le paneer est à prendre avec modération pour vâta, il peut aggraver pitta et kapha si déjà en excès. En retour, le lait de vache est bon pour vâta et pitta, moins pour kapha (sauf lait de chèvre écrémé) et de même avec le citron vert (mais avec modération pour pitta).

Svâmî Râmdâs : le vrai sens des pèlerinages

Dans la région du Mahârâshtra (non loin de Bombay), vivait un grand saint et poète du nom de Tukârâm. Il était un grand dévot du *Râm nâm*, du nom de Dieu. Un beau jour, des gens de son village décidèrent de partir en un long tîrtha ou pèlerinage, et demandèrent à Tukârâm de les accompagner. Ne pouvant les suivre, Tukâ leur donna une courge amère et leur demanda de la prendre avec eux dans leur pèlerinage, de la baigner dans tous les lieux saints où ils se rendraient ainsi que dans les temples. Ne cherchant pas à en savoir davantage, les villageois prirent avec eux la courge amère et, obéissant au souhait du saint, la baignèrent — comme ils le firent pour eux-mêmes — dans les eaux saintes, la prenant aussi dans le sanctuaire des temples afin de recevoir le darshan des divinités.

Au bout de quelques mois, les pèlerins revinrent au village et rendirent la courge à Tukârâm. Afin de fêter leur retour, le saint les convia à un grand repas. Tukâ fit préparer un plat spécial avec la courge amère. Il y avait aussi de nombreux mets, tous plus appétissants les uns que les autres. Et l'on servit le plat de courge amère. Avec surprise, tous remarquèrent combien ce plat était amer, et ils demandèrent à Tukâ pourquoi il l'avait servi. Jouant la surprise, le maître leur demanda comment, après un si long pèlerinage, cette courge pouvait encore être amère ? Bien entendu, elle était déjà amère avant de partir en pèlerinage, mais après, elle aurait dû perdre de son amertume ! Alors pourquoi son goût restait-il si amer ? Et ce fut une grande leçon pour tous les pèlerins.

>–‹•›–○–‹•›–<

L'amertume de la gourde de Tukârâm est riche d'enseignement. Si l'amertume reste profondément ancrée en nous, aucun pèlerinage si saint soit-il, ne la fera disparaître par magie. Seule notre sincérité l'adoucira. Cette recette cachemirienne de courge, est adoucie par le yaourt et aussi l'anis, la coriandre, la cannelle, autant d'épices "fraîches". Notons que la cannelle réduit les excès de pitta et kapha.

"Lauki yakhni"
Bottle-gourd stew du Cachemire
(ragoût de courge)

- 600 g de courge longue (bottle-gourd. Sinon des courgettes)
- 2 c. à café d'anis en poudre
- 3 c. à café de coriandre en poudre
- 1/2 c. à café de gingembre en poudre
- 1 piment vert coupé en deux
- 3 tasses de yaourt nature battu
- 3 clous de girofle
- 1 bâton de cannelle
- 1 morceau d'asafoetida + 1 c. à soupe d'eau
- 4 cardamomes
- 1 c. à café de cumin en grains
- huile, sel

☞ Piler et mélanger clous de girofle, cannelle, cardamome, cumin

☞ Peler la courge et la couper en dés. Laver et sécher dans un linge.

☞ Faire chauffer l'huile dans une poêle et faire frire les morceaux de légume. Lorsqu'ils sont dorés, réserver. Faire chauffer l'huile à nouveau et faire revenir l'eau d'asafoetida avec l'anis, coriandre, gingembre et piment vert. Mélanger à feu vif.

☞ Ajouter la courge avec un peu d'eau et le sel. Cuire à couvert à feu doux 10 minutes. Ajouter le yaourt et le mélange d'épices pilées petit à petit en remuant constamment.

☞ Finir la cuisson sur feu doux.

Remarque : la courge, la courgette réduit les excès de vâta et de pitta, mais peut augmenter kapha. L'anis est bon pour vâta et kapha, moins pour pitta.

Srî Râmakrishna : La disciple et le pot de yaourt

Un jour il y eut dans la maison d'un guru la cérémonie de l'*annaprâsana*, la première offrande de nourriture solide, de riz cuit à un bébé. Chacun apportait selon ses moyens. Une disciple, une pauvre veuve avait une vache. Aussi, elle la traya et apporta une jarre de lait. Le maître pensa qu'elle aurait pu apporter plus de lait et de yaourt pour la cérémonie. Mécontent de sa maigre offrande, il jeta le lait et dit : "va et noies-toi !" La veuve suivit l'ordre de son guru, et se dirigea vers la rivière. Mais Dieu, satisfait de sa foi simple et totale, lui apparut et dit : "Prends ce pot de yaourt. Tu n'arriveras jamais à le remplir. Plus tu le versera, plus il se remplira. Cela satisfera ton guru."

Le maître restant sans voix en recevant le pot. Après avoir écouté l'histoire de sa disciple, il alla à la rivière, luis disant : "Je vais me noyer dans ces eaux, si tu ne me montres pas Dieu comme tu l'as vu !" Alors le Seigneur apparut, mais il ne le vit pas. S'adressant à Dieu, la disciple dit : "Seigneur, si mon guru veut se noyer parce que tu ne te montres pas à lui, alors je le suivrais dans les eaux !" Alors Dieu apparut au maître, qui le vit enfin — mais il n'apparut qu'une fois.

>–+–◆–○–◆–+–◄

Cette histoire bengâlî contée par Râmakrishna, repose sur la simplicité et la pureté de cœur du disciple. Dans le christianisme, l'on retrouve la même affirmation : "Les premiers à entrer dans le Royaume des cieux, seront les simples au cœur pur."

La pureté sattvique triomphe de la violence rajasique (ou de pitta) et du non-discernement tamasique (ou de kapha). Cette simple recette de prasâd et d'âshram du *Moorchaar*, donnée à l'âshram vedantique srî Râmakrishna de Ooty où nous habitons est explicite :

La pureté sattvique du lait et du yaourt triomphe sur le poivre et le cumin qui accroissent pitta (si pris en excès) et sur la noix de coco qui accroît kapha (aussi si prise en excès). L'équilibre sattvique est accentué par les graines de moutarde qui harmonisent et équilibrent les tridosha.

Notons que dans le sud et en âshram, le *Moor* est servi avec le riz blanc et l'accompagne, ainsi que des légumes sans sauce (comme curry de courge ou petits pois). À la place des épices, on peut y mettre des fruits frais ; mangue, banane, fraises. Le Moor se prend surtout l'été.

Moor chaar, sauce épicée au yaourt
Spécialité du sud, de Palakkad

- ➤ 3 tasses de yaourt nature
- ➤ 10 feuilles de curry
- ➤ 1/2 c. à café de graines de moutarde
- ➤ 1/2 c. à café de graines de cumin
- ➤ 1 pincée de piment rouge
- ➤ noix de coco râpée (facultatif)
- ➤ huile de tournesol, sel
- ➤ 1/2 c. à café de poivre noir moulu

☞ Battre le yaourt avec un peu d'eau. Ajouter le poivre noir et sel, puis faire chauffer le tout avec les feuilles de curry.

☞ Faire chauffer l'huile dans une petite poêle et faire sauter les graines de moutarde avec le cumin et piment rouge. Lorsqu'elles sont dorées, verser sur le mélange au yaourt, ajouter la noix de coco et servez.

Srî Râmakrishna : voir la non-dualité partout ou nulle part

Un râja recevait de son guru l'enseignement sacré de l'advaïta, de la non-dualité qui dit *sarvam kalvidham brahman*, tout l'univers est brahman. Le roi aimait beaucoup cette doctrine. Un jour, il dit à la reine son épouse : "Il n'y a aucune différence entre la reine et sa servante. Aussi ta servante sera reine à partir de ce jour." La rânî fut abasourdie par ces propos. Elle fit venir le guru et se plaignit à lui : "Guruji, voyez l'effet pernicieux de votre enseignement !" et elle lui rapporta les paroles de son époux. Le maître la rassura et lui dit : "Quand tu serviras le repas de ton époux, avec le plat de riz, apporte un plat rempli de bouse de vache".

À dîner le roi et le guru étaient assis côte à côte. Qui pourra imaginer la stupéfaction et la colère du roi quand il se vit servir le plat de bouse de vache (*si sacrée soit-elle*). Voyant cela, le guru lui demanda calmement : "Ô roi, tu es accompli dans la connaissance de la non-dualité. Alors pourquoi voir une "différence" entre ce plat de riz et cette bouse de vache ?" Exaspéré, le roi s'exclama : "Toi qui es si fier d'être un advaïtin, mange-la si tu peux !" "Très bien," répondit le guru, et il se changea en cochon, puis mangea avec délice la bouse de vache et reprit forme humaine. Honteux, le roi s'inclina devant lui et ne tint plus jamais de tels propos à son épouse.

><><>•<>•O•<>•><><

Le sage, le jnânî, particulièrement dans l'advaïta, n'est plus lié par les opposés chaud-froid, bonheur-souffrance, etc. il les a transcendés, tout comme certains maîtres tibétains, certains grecs stoïciens comme Socrate, Épictète, Marc-Aurèle. Il n'y a plus de sens de la dualité, plus ou peu d'ego, donc plus — ou sinon de moins en moins d'identification par rapport aux niveaux physique et mental.

Le jnânî, l'éveillé, n'est plus impliqué. Il est libre de son passé comme du futur. Il vit dans l'instant. Il est libre de ses peurs, de ses demandes, de lui-même, comme des autres. En fait, l'*autre* n'est pas différent, en essence, de lui-même. Il n'y a plus aucune dualité. De tels êtres existent. Je puis en témoigner pour avoir été auprès de Mâ Ânanda Moyî de nombreuses années, jusqu'à son départ.

En Inde, tout ce qui vient de la vache est sacré. Ainsi, l'urine rentre dans la composition de médicaments âyurvédiques. La bouse de vache, mélangée à de l'eau et de la terre fine, parfois à de la pâte de santal et du musc, sert de pisée et d'enduit dans les maisons. Elle a de fortes propriétés antiseptiques. Séchée, en galettes, elle sert aussi de combustible naturel et peu coûteux, surtout dans le nord et les Himâlaya.

Le riz a cette même pureté sattvique. Du point de vue de la non-dualité, tous deux sont neutres et identiques en essence : riz et bouse. Il n'y a rien à comparer à quoi que ce soit. Il n'y a que ce qui est : l'un sans-un-second.

Dans le quotidien, il est facile de mettre en pratique cette vigilance, ce discernement et de voir simplement ce qui est — nous qui sans cesse comparons, classons et jugeons. **Voir ce qui est**, non dans l'indifférence, mais dans la neutralité, "dans son émerveillante banalité" comme le dit J. Krishnamurti. Bien entendu, la place nous manque pour le développer. Il n'est qu'à relire Râmana Mahârshi, Svâmi Prajnânpad ou Krishnamurti.

Vous avez eu la composition et recette de "l'enduit pour terrasse (terre battue) et murs à base de bouse de vache (l'odeur disparaît après séchage)" : un nouveau produit écolo pour Maison et Jardin ou Brico Marché... Voici maintenant, sans comparaison aucune, une délicieuse recette — tout aussi svattique — du riz à la noix de coco (riz cité dans cette histoire contée par Râmakrishna).

Riz à la noix de coco du Kérala

- ➤ 2 tasses de riz bouilli
- ➤ 1/2 tasse de noix de coco râpée
- ➤ 1 pincée d'asafoetida
- ➤ quelques feuilles de curry (curry patta)
- ➤ 50 g de noix de cajou
- ➤ 1/2 c. à café de graines de moutarde
- ➤ 2 piments verts émincés
- ➤ huile de noix de coco ou de tournesol, sel

☞ Faire chauffer l'huile dans une grande poêle et y ajouter l'asafoetida et les graines de moutarde.

☞ Y mettre la noix de coco râpée, les piments verts et les feuilles de curry. Faire dorer tout en mélangeant.

☞ En dernier, ajouter le riz et bien mélanger. Servir de suite en garnissant de noix de cajou frites dans un peu d'huile auparavant.

S'accompagne bien d'une chutney à la mangue, au citron vert et d'une raïta au yaourt. Repas simple et on en plus svattique.

Remarque : nous utilisons beaucoup le riz en cuisine indienne, surtout dans le sud. Notons que le riz de toutes sortes réduit vâta ; que les riz basmati, blancs, sauvages, réduisent pitta ; que les riz basmati, sauvages (avec modération pour ce dernier) réduisent kapha ; toutefois, le riz brun peut accroître pitta (aussi il sera pris avec modération) ; le riz brun, blanc fera de même avec kapha.

La noix de coco diminue vâta et pitta, mais peut aggraver kapha.

Srî Râmana Mahârshi : l'ail

(Cité par l'âshram de Râmana Mahârshi) : Bhagavân, à la lecture d'un article de journal, le *Grihalakshmî*, se mit à rire. On y parlait, entre autre, de… recettes de cuisine et des vertus de l'ail. Par la suite Râmana fit la remarque suivante : "On dit que l'ail est très bon pour la santé. C'est exact. Il soigne les rhumatismes et donne de la vigueur au corps. Pour les enfants, il agit comme le Nectar d'amrita. D'ailleurs, l'ail est connu aussi sous le nom d'amrita."

Et Râmana conta cette histoire védique sur l'ail et l'amrita. L'amrita, c'est le breuvage d'immortalité, la vie éternelle. Il est synonyme de rasa et de soma (l'ambroisie, aussi le dieu-Lune).

Râmana : "Quand les deva, les dieux et les asura, les démons barattèrent l'Océan, l'amrita en sortit. Mais les asura s'enfuirent avec ce nectar d'immortalité. Alors les deva implorèrent Vishnou de les aider. Le Seigneur se transforma alors en Mohini (*de moha, illusion, l'Enchanteresse*) et offrit de servir l'amrita à tous, dieux et démons. Mais il s'avéra qu'il n'y aurait pas assez de nectar pour les asura. Aussi, l'un d'eux se glissa parmi les deva afin d'avoir sa part. Mohini s'en aperçu et de son disque chakra, il lui trancha la tête. Mais quelques gouttes du nectar restèrent dans sa gorge tranchée, et tombèrent sur le sol. Ces gouttes devinrent les plants d'ail.

C'est pourquoi l'on dit que l'ail a certaines propriétés de l'amrita (sattvique). Il est très bon pour le corps. Mais il a aussi des qualités asuriques et tamasiques qui affectent le mental. Aussi il est défendu pour les sâdhaka, ceux qui suivent une ascèse."

―――≡≡―――

En effet, l'ail n'est pas ou très rarement utilisé dans la nourriture d'âshram. À titre d'exemple, voici une recette bengâlî — les bengâlî utilisent beaucoup l'ail et les graines de moutarde. Ce *paneer mahârânî*, contient de l'ail, mais l'action tamasique et kapha est équilibrée par le cumin, le curcuma, le coriandre qui réduisent à la fois kapha et pitta, et le gingembre qui réduit kapha.

L'ail est excellent pour la santé — les grecs et provençaux en témoignent — mais tout est question d'équilibre. Il est certain que croquer de l'ail comme du gingembre ou du piment rouge, aura un certain effet sur le corps et l'esprit ! Ceci dit, l'ail est bon pour les natures vâta et kapha, moins pour pitta si en excès.

Fromage paneer mahârânî

- ➤ 20 cubes de paneer (voir recette en page 61) fait avec 1 l. de lait frais
- ➤ 1 c. à café de cumin en graines
- ➤ 1 c. à café de garam mâsalâ
- ➤ 1 pincée de curcuma et 1 de sucre
- ➤ 4 tomates pelées et coupées en petits dés
- ➤ 1 pincée de piment rouge
- ➤ 1 feuille de laurier
- ➤ 2 oignons moyens
- ➤ 3 gousses d'ail
- ➤ 1 morceau de gingembre frais
- ➤ 1 bonne pincée de noix de muscade
- ➤ quelques feuilles de coriandre, ghî, sel

☞ Passer au mixeur les deux oignons, le gingembre et l'ail ensemble.

☞ Couper le paneer en dés et le faire dorer dans un peu de ghî ou de l'huile (sésame, tournesol).

☞ Faites réchauffer du ghî et ajouter le cumin, le laurier et le reste des épices, les faire revenir rapidement. Y ajouter la pâte d'oignon, le piment, le sel jusqu'à ce que l'huile vienne à la surface.

☞ Ajouter les tomates et le sucre et frire 10 minutes Couvrir d'eau. Faire bouillir, puis réduire le feu et ajouter le paneer. Finir la cuisson jusqu'à ce que la sauce épaississe. Décorer de feuilles de coriandre.

Patañjali : Yoga-sûtras, chap. I, 30, 31
Les principaux obstacles à la méditation

30. La maladie, la paresse intellectuelle, le doute, l'attachement envers les objets des sens, la fausse perception des choses, la léthargie, la distraction et l'instabilité de la méditation sont les maux et obstructions majeurs (*sur la voie*).
31. L'anxiété, la détresse mentale, la faiblesse physique, la respiration irrégulière, le manque de concentration.

Ce texte de Patañjali des Yoga-sûtras avec ses 200 aphorismes (divisés en quatre sections), remonte à l'an 300 av. J.-C. Il repose sur les grandes upanishad et fait autorité. Tous les maîtres traditionnels s'y réfèrent, et tous les étudiants en yoga l'étudient. À 16 ans je découvris l'Inde à travers ce premier texte, puis à travers la Bhagavad-Gîtâ.

Le premier chapitre parle de la concentration, dhâranâ, étape préliminaire de la méditation, dhyâna puis de l'étape finale du samâdhi, de la libération, de l'union. Patañjali énonce clairement les obstacles à la concentration-méditation et ses remèdes. Dans la stabilité de la méditation, non-mouvement, le Soi repose **inchangé en lui-même**. Dans la non-méditation et l'agitation des vrittis du mental, le Soi est identifié (pour parler en termes duels et relatifs) aux phénomènes, aux modifications, à la forme et à la dualité — donc à la souffrance (duhkha-vâda). Le but de ce yoga, est duhkha-nâsha, la disparition de la souffrance, proche de l'ascèse bouddhiste.

Dans le contexte du *sarvam annam*, la nourriture et le choix des épices et ingrédients, amèneront l'agitation ou la stabilité du mental et du corps. Bien entendu, l'exemple de certaines épices aggravant les trishodas, ne vous empêcheront ni de prier, ni de vous concentrer, ni même de méditer, ni peut être d'avoir un *glimpse* du samâdhi… Tout doit être relativisé et bien relativisé.

Par exemple le piment, le cumin n'aggraveront vraiment une nature pitta, que si ces épices sont prises régulièrement et en quantité, et que si pitta est déjà fortement aggravé, de même pour vâta et kapha. Dans le contexte de cette recette parsi, nous avons pris certaines épices tamasiques et kapha (aggravé) comme l'ail, l'oignon, la coriandre, afin d'illustrer les obstacles tamasiques à la concentration. Pitta est aggravé par le cumin et vâta par la coriandre. Par contre, l'ail avec modération est bon pour vâta, la coriandre pour pitta et le cumin pour kapha ; comme quoi …

Poisson à la manière Parsi

➤ 4 filets de poisson à chair ferme
➤ 2 oignons, 1 gousse d'ail, 1 piment vert
➤ 1 c. à café de graines de cumin
➤ 1 c. à café de farine de riz mélangée avec une tasse d'eau
➤ 3 c. à café de bon vinaigre
➤ 2 œufs
➤ quelques feuilles de coriandre hachées
➤ 1 verre d'eau
➤ huile d'olive 1re pression à froid, sel

☞ Faire revenir l'oignon dan un peu d'huile, l'ail, le piment et le cumin pendant 5 minutes Verser l'eau, mélanger et amener à ébullition, puis mettre à feu doux 5 minutes.

☞ Ajouter la pâte de riz pour épaissir la sauce. Y rajouter le poisson, saler et laisser cuire quelques instants.

☞ Hors du feu, verser le mélange vinaigre, œufs et sucre battus auparavant. Réchauffer à feu très doux. Décorer de feuilles de coriandre.

Svâmi Râmdâs : tu n'es pas le corps

Dans l'Antiquité il y avait un philosophe et sage grec du nom d'Épictète. Il était l'esclave d'un puisant maître, et puni très cruellement à la plus petite faute. Presque chaque jour il était battu par son maître. Un jour, sans raison, Épictète fut battu si violemment que sa jambe se cassa et il devint bancal. Un de ses amis vint le voir et lui demanda pourquoi il était infirme. Épictète lui donna cette réponse : "je" ne suis pas bancal, la jambe est bancale."

Son détachement du corps était si total, qu'il ne s'identifiait pas à ce qui lui arrivait avec son soi réel.

⋗⋅⊶⋅◯⋅⊷⋅⋖

Cette histoire contée par Svâmi Râmdas, parle d'une autre tradition ascétique ; celle des stoïques grecs, comme Socrate, Zénon, Marc-Aurèle. Le curieux de l'histoire, c'est qu'Épictète (336-264 av. J.-C.) était l'esclave d'un esclave affranchi, Epaphrodite, un affranchi de l'empereur Néron, devenu l'un de ses gardes du corps et maître des requêtes.

Voulant le punir, son maître lui tordit la jambe. "Prends garde de la casser !" l'avertit calmement Épictète. Hélas, peine perdue. "Prends garde, elle va se casser !" répète le malheureux. Sourd, le maître continue jusqu'à ce que l'on entende un craquement sourd et sec. "Je t'avais bien dit qu'elle se casserait !" constata Épictète sans que sa voix trahisse la moindre douleur, colère ou émotion.

Épictète est l'un des grands maîtres et sages de la Grèce Antique. Un chapitre lui est d'ailleurs consacré dans mon dernier livre, *Aux sources de la sagesse* : paroles d'amour et de sagesse des maîtres de la Grèce Antique et de l'Inde (Éditions Accarias-l'Originel).

Cette attitude non-duelle, stoïque et toute de détachement est digne des plus grands maîtres Indiens. Pour illustrer cette nature sattvique — proche de l'attitude chrétienne et bouddhiste — cette recette de riz basmati — le roi des riz, et au safran, le roi des épices, nous semble on ne peut plus appropriée.

Riz basmati sucré au safran

- ➤ 500 g de riz long basmati
- ➤ 500 g de sucre
- ➤ 8 grains de cardamome
- ➤ 5 clous de girofle
- ➤ 50 g de raisins secs
- ➤ 50 g de noix de cajou
- ➤ 1 pincée de safran diluée dans 1 c. à soupe de lait chaud
- ➤ 1 c. à soupe de ghî

☞ Dans un litre d'eau, amener le riz à ébullition (après l'avoir lavé). Lorsqu'il est à demi cuit, bien remuer et baisser le feu. Ajouter un peu de ghî afin qu'il n'attache pas.

☞ Ensuite ajouter du safran au riz bien cuit, le reste du ghî, les raisins secs, les noix de cajou (ou encore amandes, pistaches) et les clous de girofle. Remuer doucement tout en mélangeant jusqu'à ce que le riz s'imprègne bien du safran.

☞ Puis placer à four moyen durant 10 minutes environ. Saupoudrer de cardamome moulue. Bien mélanger et servir chaud.

S'accompagne bien d'un thé aux épices, au gingembre, ou encore d'un thé de Ceylan ou d'Assam au lait. Pour les adeptes du doux-sucré, un thé à la rose congou sera parfait.

Notons que dans l'ensemble, le riz basmati et le safran diminuent les trois dosha. C'est une recette particulièrement sattvique : un plat de fête, simple et délicieux.

Mâ Ânanda Moyî : le trésor caché

Il était une fois une reine profondément religieuse. Elle passait son temps en prières et en dévotions, remplie de générosité et de compassion pour tous. Son seul grand chagrin, était que le roi son époux ne prononçait jamais le nom de Dieu. Il était athée. Tous le considéraient comme un grand incroyant, mais en réalité sa spiritualité était profonde. Secrètement, il passait sa vie en communion constante avec Dieu. Seulement il ne voulait pas le montrer et passait pour un athée aux yeux de tous. Mais une nuit, durant son sommeil, il prononça malgré lui le nom de "Râma". La reine qui était à ses côtés, l'entendit et en fut toute abasourdie. Le lendemain, remplie de joie, elle organisa de grandes cérémonies et distribua des présents. Quand le roi lui demanda la raison de toutes ces festivités, elle lui expliqua ce qui s'était passé la nuit précédente : "Quoi ! — dit le roi — le nom de Râma s'est échappé de mes lèvres ! C'était mon trésor le plus précieux, le mieux gardé et le plus secret. Il s'en est allé !" Ce disant, il quitta son corps.

Votre conduite déterminera votre prochaine naissance. Parfois, il arrive aussi que l'on passe toute son existence dans l'inconduite et l'erreur, mais grâce à de bonnes tendances cachées et accumulées dans des existences antérieures, un changement complet peut survenir dans l'âme d'un homme, au moment de la mort.

>-I-<>-O-<>-I-<

Le thème du "trésor caché", du divin en l'être, se retrouve chez d'autres mystiques, particulièrement chez Mîrâ-Bâï, Lallâ, Sûrdâs.

Cette histoire contée par Mâ le 4 décembre 1947, répond à une question portant sur la mort, la renaissance, la force des désirs. Ce qui se passera pour l'âme après avoir quitté le corps, est déterminé par l'état d'esprit des derniers instants. La foi est certainement déterminante au moment de la mort.

Comme il a déjà été dit auparavant, il n'est pas toujours évident de trouver le lien "plausible" entre une histoire et une recette, entre le spirituel et le matériel. Parfois il faut employer la métaphore, la parabole.

L'âtmâ, le divin nous dit l'histoire, c'est ce qui est invisible, caché au plus profond de l'être, le "secret au cœur du secret". Comment illustrer cela par une recette, ou tout au moins de passer de l'une à l'autre sans que cela prête à sourire ? Pas toujours facile… pas toujours évident.

Dans le contexte du sarvam annam, de la nourriture, ce qui est "caché" évoque quelque chose de savoureux : au niveau spirituel ce sera le Soi, unique, caché au cœur de l'être. Au niveau matériel et au sens imagé de la métaphore, ce sera une saveur délicate et subtile à l'intérieur d'un aliment : un pain, un légume. Cette saveur sera là, une sorte de pâte d'épices aux parfums multiples et fourrée dans un poivron.

Poivrons du Mahârashtra farcis au mâsalâ

- ➤ 6 poivrons verts ; si possible rouges et jaunes également
- ➤ 1 grande cuillerée de farine de pois chiches ou de farine complète
- ➤ 1 c. à café d garam mâsalâ
- ➤ 2 oignons émincés, 1 piment vert émincé
- ➤ 1 petite boule de tamarin
- ➤ 1 poignée de feuilles de coriandre
- ➤ 2 tasses de jus de noix de coco
- ➤ 1 petit morceau de gingembre émincé, sel

☞ Couper les poivrons en deux, puis ôter les graines et laver. Réserver.

☞ Faire dorer la farine dans un peu d'huile. Faire aussi frire les oignons, gingembre, piment vert et mâsalâ d'épices. Bien mélanger le tout avec la farine et le sel.

☞ Farcir les poivrons de cette pâte d'épice. Puis dans une grande poêle, les faire dorer doucement dans un peu d'huile jusqu'à ce qu'ils changent de couleur.

☞ Y verser le jus de coco ainsi qu'une tasse de jus de tamarin. Couvrir et finir la cuisson jusqu'à ce que les poivrons soient tendres et la sauce plus épaisse.

☞ Décorer de feuilles de coriandre ciselées.

Remarque : la farine de pois chiches convient à pitta et kapha, moins à vâta si aggravé.

Lallâ : la vérité
(Vâkyâni, paroles)

Passionnée, avec l'attente dans mes yeux,
Cherchant, cherchant partout jours et nuits.
Enfin ! Je le trouvais, l'Un, le Sage,
Là dans ma propre demeure (*en moi*) apaisant ma quête.
Ce fût un jour béni,
Le souffle coupé, je le pris comme guide.
Aussi ma lampe de Connaissance (*Shiva*) éclaire à l'infini,
Vacillant sous mon souffle léger (*du prânâyâma*).
Alors mon âme lumineuse se révéla à elle-même,
N'ayant rien acquis (*qui ne soit déjà là*).
Je maintiens en mon cœur cette lumière intérieure,
Et séduite, la laisse irradier et m'envahir ;
Jalousement cachée au plus profond de moi.
Je chéris la Vérité et la tiens contre moi serrée.

Le yoga de Lallâ — cette yogînî et poétesse du Cachemire (XIVe siècle), est un mélange harmonieux d'advaïta et de bhakti, comme chez Kabîr et Tulsî-Dâs, avec du sûfisme et aussi du trantrisme avec le kundalînî et laya-yoga — donc avec des techniques d'éveil de la kundalînî, des chakras à travers le contrôle du souffle ou prânâyâma.

Il semble que Lallâ réalisa l'unité, quand l'énergie latente de la kundalînî ouvrit le quatrième chakra, représenté par un lotus à 12 pétales de couleur fumée, et où s'inscrivent deux triangles en "étoile de David". Ce chakra est en rapport avec l'élément Air (vâyu, vâta). C'est l'anâhata-chakra, situé dans la région du cœur.

En âyurveda les épices suivantes sont en rapport avec ce chakra du cœur et favorisent son éveil : le safran, la noix de muscade, le clou de girofle, la cardamome et la rose.

Pour illustrer ce chakra nous avons choisi la rose. Elle est dite "ouvrir le chakra du cœur" et aussi, "le lotus du cœur est une rose". C'est la fleur de l'amour. Elle est utilisée en âyurveda pour on action équilibrante sur les trois dosha, sur les systèmes nerveux, circulatoire et de reproduction. Action fraîche, carminative, astringente, altérative, nerveuse, emménagogue.

Voici une rare et délicieuse recette d'origine Parsi (zoroastrien) : le *gulkand* ou *gulâb jam* : une confiture de rose et un tonique des plus rafraîchissant l'été.

Gulkand Parsi à la rose

- 1/2 kg de pétales de roses non traitées
- 3/4 l d'eau
- 1 kg de sucre roux (sucre de canne fin)
- jus d'un citron vert
- 2 c. à café de graines de cardamome en poudre
- 1/2 tasse d'essence de rose (facultatif)

☞ Cuire les pétales de rose dans l'eau à feu très doux durant 30 minutes. Laisser réduire. Passer. Ajouter le jus de citron vert et le sucre.

☞ Puis ajouter les pétales, la poudre de cardamome et l'eau de rose. Laisser refroidir. Mettre dans un bocal de verre au soleil durant une semaine. Dans un verre haut, servir avec de l'eau glacée pour une bonne cuillère à soupe de *gulkand*. Bien mélanger.

Ce confit de rose se conservera plusieurs mois. Comme les bons vins ou les pudding anglais, le *gulkand* se bonifie après avoir macéré un ou deux mois.

Il peut se prendre comme une confiture ou comme une boisson mélangé à de l'eau froide.

Remarque : la rose prise sous forme de dessert, de décoction, harmonise les trois dosha. Toutefois, son action peut aggraver kapha et ama s'ils sont en excès. le citron vert est bon pour vâta et pitta (avec modération pour ce dernier), moins pour kapha.

Lallâ : union

Seigneur, j'étais Toi et je ne le savais pas,
Ni que Tu étais moi, ni que l'Un pouvait être jumeau.
Si "qui suis-je ?" est le Doute de doutes[1],
"Qui es-Tu ?" conduit à des renaissances sans fin.

Shiva ou Keshava (*Krishna*), Brahmâ ou jina (*sauveur des jaïns*)
Tous sont tes noms.
Enlève de moi tout ce qui est mauvais ;
Mon monde intérieur -
Il est Tien, il est Toi, Toi, Toi.

><+>-O-<+><

Nous présumons que Lallâ a réalisé l'union avec le Soi suprême :
l'Absolu sans forme du vedânta, le Bien-aimé avec forme de la bhakti.

La réalisation non-duelle — dans le processus d'éveil et de montée de
la kundalinî — implique l'ouverture du septième et dernier chakra, le
sahasrâra-chakra, le "lotus aux 1 000 pétales" situé au sommet du crâne. Il
est visualisé comme un lotus à mille pétales couleur de diamant, où ne
s'inscrit aucun symbole et où le yogî n'entend aucun son. Il a réalisé Cela.
De la forme il est passé au sans forme, de l'audible à l'inaudible.

En âyurveda ces plantes et épices sont en rapport avec ce chakra, la
plante *brâhmî* (Centella Asiatica), la noix de muscade, la *tulsî* ou basilic
que nous choisissons pour illustrer l'éveil du dernier chakra.

La *tulsî* ou basilic indien est la plante sacrée par excellence, identifiée
à Vishnou-Krishna (voir le chapitre qui lui est consacré dans notre livre le
Yoga des Plantes). Plante sacrée, elle ne se cuit pas. Elle est utilisée en
médecine âyurvédique pour ses propriétés sattviques, réjuvénantes et
échauffantes (à utiliser avec prudence pour les natures pitta et rajasiques).
Par contre les graines sont fraîches et réduisent les inflammations.

---

1 : **"Qui suis-je ?"** : un des grands mantra dans la quête du Soi, de l'âtma-
vichâra, de l'introspection préconisé entre autre par Râmana Mahârshi, Krishna
Menon, Nisargadatta Mahâraj et autres maîtres de la non-dualité. En sanscrit
KO'HAM, "qui suis-je ? – Réponse : *So'ham*, "je suis lui" – Autre forme du
mantra *hamsa* (*ham*, je ; inspiration et *sa*, lui : expiration).

Dans le contexte de la cuisine indienne la *tulsî* ou basilic n'est utilisée que pour certaines boissons-desserts et surtout d'origine parsi, donc non hindoue. Elle est d'origine persane et célèbre l'équinoxe de printemps, le 21 mars : voici le *Falooda*.

Falooda

➤ 1 l de lait frais (si possible bio ou de ferme)

➤ 3 c. à soupe de sucre roux

➤ 2 c. à soupe de maïzena

➤ 2 c. à café de sirop de rose ou d'essence (gulab ke pâni)

➤ 1/2 l de crème liquide

➤ 2 c. à soupe d'amandes et pistaches on salées hachées

➤ glaçons

➤ 3 c. à café de graines de basilic (Osymum pilosum)
  (trempé au préalable une heure dans un peu d'eau)

☞ Faire chauffer la moitié du lait et y faire fondre le sucre. Baisser le feu. Délayer la maïzena dans 2 cuillères de lait froid et l'incorporer doucement au lait froid, en remuant constamment avec une spatule en bois. Lorsque la préparation devient épaisse, donner un tour de spatule et retirer du feu.

☞ Au-dessus d'un récipient contenant les glaçons et le sirop de rose, placer une passoire et verser la préparation à la maïzena. La pousser à travers les trous afin qu'elle s'écoule en filets dans le récipient glacé au-dessous.

☞ Incorporer la crème au restant de lait froid et au sirop de rose. Mélanger les filaments de maïzena, la préparation glacée, les graines de basilic et le lait avec les amandes et pistaches hachées. Réfrigérer. On peut y ajouter une boule de glace à la vanille. Servir dans des verres hauts.

Cette boisson-dessert est un merveilleux rafraîchissement par temps chaud. À boire "religieusement".

Femme et enfant. Madras, 1971.
Edouard BOUBAT.

Partie 2

Les Dosha et la nourriture

Vâta, pitta et kapha sont les trois dosha.
Ils détruisent et maintiennent le corps
quand ils sont respectivement
anormaux et normaux.

ASHTANGA HRIDAYAM SAMHITÂ, CHAP. I, 6.

Râdhâ donnant du babeurre à Krishna.
Illustration tirée du Sat Saïya de Bihâri Lâl.
École de Basohli (Jammu-Cachemire), vers 1690.
Coll. Bharat Kala Bhavân, Bénarès.

Les dosha et la nourriture
Les trois énergies vitales ou dosha

Le sens du mot sanskrit *dosha* est explicite. Il signifie "défaut, imperfection" mais aussi "erreur, vice, néfaste" ou encore "nuit, obscurité". Les *tridosha* sont les trois humeurs, les dynamiques biologiques de l'individu : son énergie propre (qui peut changer). Ainsi, des qualités bonnes et mauvaises se disent dosha-guna. Chaque dosha est la combinaison de deux éléments :

- vâta, humeur de l'Air (combinaison Air-Ether) ;
- pitta, humeur du Feu (avec l'Eau comme élément secondaire) ;
- kapha, humeur de l'Eau (combinaison Eau-Terre).

Les dosha sont stimulés par les six rasa ou saveurs. Ainsi vâta est stimulé par le rasa astringent, amer, fort ; pitta l'est par l'amer, l'aigre, le salé ; et kapha par le doux, l'aigre, le salé.

Selon la théorie ârurvédique du rituchârya, les dosha se modifient selon les saisons, le climat, mais aussi selon l'environnement, le pays, le mode de vie, l'activité et bien entendu selon la nourriture et les saveurs ; douces, aigres, fortes, amères, salées, piquantes et astringentes. Ainsi le sarvam annam, influera sur les dosha à tous les niveaux.

L'équilibre intérieur et une bonne santé, ne sont possibles que si les dosha sont équilibrés et en harmonie. Ce thème a été développé dans un livre précédent, le *Yoga des plantes*.

L'individu est un mélange de ces trois constitutions, avec une prédominance des deux — avec l'âge l'un prend parfois le pas sur l'autre. Il est important de connaître sa prakriti, sa nature pour une meilleure santé et harmonie du corps et de l'esprit, ainsi qu'une meilleure compréhension de l'autre.

Les trois dosha existent en tout, dans la nature et les plantes, dans le climat, les animaux, la nourriture, les êtres humains. Même les heures et les saisons sont de nature vâta, pitta et kapha. Ainsi l'enfance, selon l'âyurveda est le temps de kapha, l'inertie ; l'âge adulte celui de pitta, avec l'activité et enfin la vieillesse celui de sattva, l'immobilité — mais d'un tout autre ordre que celle de kapha ! Ou encore La Trinité de Brahmâ, Vishnou et Shiva oeuvrant dans le monde.

Une mauvaise balance des trois, amènera la maladie, une mauvaise respiration et digestion. La science de l'âyurveda a pour but de rétablir la balance et l'harmonie des tridosha. De là l'importance d'une "nourriture" choisie délibérément, saine et équilibrée : **sarvam annam**.

VÂTA	PITTA	KAPHA
1. Léger, mince, grand.	Musculeux, taille moyenne.	Fort, taille moyenne. Appétit
2. Appétit et soif modérés.	Forts appétit et soif. Forte digestion. Saute difficilement un repas.	moyen. Digestion lente.
3. Prends peu ou pas de poids.	Peu prendre du poids assez facilement.	Tendance à l'obésité.
4. Sommeil léger et par intermittence. Tendance à l'insomnie.	Sommeil profond en général ou modéré.	Sommeil profond et prolongé. Tendance à trop dormir.
5. Très actif et toujours en mouvement. Tendance à s'inquiéter. Vif d'esprit comme parfois dans ses propos. Créatif. Sens créatif prononcé. Ouvert, compréhensif, intuitif.	Intelligent. Tendance à s'emporter ou s'irriter quand stressé. Assez jaloux.	Tranquille. Placide. Assez facile à vivre. Lent à s'emporter. Evite les confrontations. Conciliant. S'attache et peut devenir possessif. Forte sexualité.
6. Rapide. Impulsif. Secret parfois. Intériorisé. D'humeur et d'idées changeantes parfois. S'adapte bien au changement. Lent à se lier d'amitié, mais fidèle ensuite. Généreux et détaché.	Intense. A parfois du mal à exprimer ses sentiments. Courageux, sauve parfois ses pires ennemis. Fier, ambitieux.	Décontracté. Stable. Donne confiance. Lent à s'adapter au changement.
7. Tenace et rapide dans son travail. Aime le changement et une certaine excitation créative.	Modéré. Méthodique dans son travail. Aime le concret.	Grande force et endurance physique. Parfois tendance à trop d'inactivité.
8. Tendance à trop en faire. Se fatigue assez vite.	Énergie moyenne. Aversion pour le soleil et les fortes températures, la sécheresse.	Énergie stable. Lent et assez gracieux dans ses mouvements.
9. Aime les aliments doux et une nourriture raffinée et inventive. Appétit modéré selon les humeurs.	Aime les aliments salés, amers et astringents. Les boissons fraîches. A bon appétit.	Aime les aliments aigres, astringents et fermentés, au goût fort. A bon appétit.
10. Saisons : Automne et le début de l'hiver. Proche de sattva et raja guna.	Saisons : fin printemps et l'été. Proche de raja guna.	Saison : l'hiver. Proche de tamas guna.
11. Couleurs : terre, bleus, noir, blanc.	Couleurs : soleil, jaune, orange, rouge.	Couleurs : fraîches, blanc, argent.

Svâmî Râmdâs : les deux sâdhu

Un jour, deux sâdhu arrivèrent dans une même ville. L'un s'installa à l'ombre d'un grand arbre pîpal (figuier-banian) aux feuilles sombres et luisantes, l'autre sous un tamâla aux feuilles parfumées. Un dévot s'approcha du premier sâdhu qui se reposait, et lui demanda : "Mahârâj, un autre sâdhu est arrivé dans notre ville. Le connaissez-vous?" "Oui", répondit le sâdhu avec un suprême mépris, "je le connais. C'est un buffle." Sans demander plus d'explication, notre dévot se précipita vers l'autre sâdhu qui se reposait sous le tamâla. Et il plaça avec grand respect la botte de foin à ses pieds, se prosternant devant lui. "Quoi!" s'écria le sâdhu "Qu'est-ce que cela signifie? Et pourquoi cette botte de foin?"

— C'est une offrande, Mahârâj. Daignez l'accepter pour votre nourriture et accordez-moi votre bénédiction.
— Ah ça, mais es-tu fou? Moi, manger du foin! fulmina le sâdhu.
— Mais… mais Mahârâj, le sâdhu qui est sous le grand pipâl, à l'autre bout de la ville, a été assez bon pour me dire que vous étiez un buffle. Aussi j'ai pensé que ce présent vous conviendrait, répondit le dévot en balbutiant.
— Comment as-tu pu le croire? N'as-tu donc aucun sens? demanda le sâdhu en colère.
— Mahârâj, comment un pauvre et ignorant homme comme votre esclave, pourrait avoir l'audace de comprendre les manières d'un sâdhu? Seul un mahâtmâ peut comprendre un autre mahâtmâ, répondit le dévot en s'inclinant bien bas.
— "Bon… bon," grommela le sâdhu, alors retourne vite auprès de cette "Grande Ame" et dis-lui qu'il est un âne!
En hâte le dévot alla au marché acheter une bonne mesure de graines de coton, puis alla trouver l'autre sâdhu sous le tamâla. Avec le plus grand respect, il répandit les graines de coton aux pieds du mahâtmâ, se prosternant à ses pieds.
— Hé! qu'est-ce que c'est? s'exclama le sâdhu réveillé.
— Mais ce sont des graines, des bonnes graines de coton! — c'est bien une nourriture que vous aimez mahârâj. Acceptez cet humble présent et faites un bon repas. Et daignez répandre votre grâce sur votre esclave, pria le dévot avec humilité.
— Que veux-tu dire par, "manger des graines de coton"? s'écria le sâdhu avec stupéfaction.

—Pourquoi pas, mahârâj ? L'autre sâdhu, sous le pîpal, m'a dit que vous
étiez un âne. Tout le monde sait que les ânes aiment les graines de coton.
Tu es fou ! hurla le sâdhu avec rage. Ne vois-tu pas que… que je-ne-suis-
PAS-UN-ÂNE ?

—Comment puis-je discerner, mahârâj ? Moi, pauvre homme, pris dans les
griffes de mâyâ ! (*l'illusion*) Il est dit : "Seule une Grande Âme
(*mahâtmâ*) peut reconnaître une autre Grande Âme," répondit le dévot
qui commençait de s'amuser.

Le sâdhu vit son sourire. Il se leva et, solidement campé sur ses jambes dit
d'une voix impérieuse :

—Conduis-moi auprès de ce buf… mahârâj. Je vais lui apprendre à choisir
mieux ses mots !

Et il s'en suivit une grande querelle entre les deux sâdhu. Le dévot se tint
à distance respectueuse et… s'amusa beaucoup. L'affaire se termina ainsi :
nos deux sâdhu restèrent sans manger tout le jour, trop occupés à se
quereller !

L'histoire de ces deux sâdhu se querellant, est haute en couleur, drôle,
pitta et rajasique à souhait ! avec un soupçon de tamas. N'oublions pas que
dans les âshram, l'humour et le rire font partie de l'enseignement. Nous
avons souvenir que Mâ Ânanda Moyî aimait parfois détendre l'atmosphère
— après une longue méditation, un satsang ardu ou des polémiques — par
des jeux de mots portant sur des mots sanskrits ou par des "histoires
drôles" - mais toujours en **rapport avec la voie** et le dharma. Les svâmî
des centres vedantiques Râmakrishna font de même, et l'ambiance reste
sérieuse mais détendue, gaie et heureuse.

Pour illustrer cette "querelle épicée" — donc très pitta, rajasique et
tamasique —, voici une recette de *korma* relevé, avec des épices
échauffantes (si prises en excès) comme l'ail (tamas), le piment, le
gingembre et aussi d'énergie kapha (modéré) comme le clou de girofle et la
cardamome. La viande de poulet peut accroître pitta et kapha si déjà
aggravés, mais, elle diminue vâta.

Notons que le safran réduit et équilibre les trois dosha, le curcuma
réduit les excès de pitta ; que l'ail parfois, la cannelle, le gingembre, le
curcuma, la muscade réduisent vâta et kapha. Là encore tout est question
d'équilibre — ce qui manquait à nos deux mahâtmâ !

Poulet korma

- ➤ 1 poulet fermier coupé en morceaux
- ➤ 2 gros oignons
- ➤ 2 gousses d'ail
- ➤ 500 g de tomates
- ➤ 4 yaourts nature
- ➤ 1 pincée de piment rouge
- ➤ 1 petite racine de gingembre
- ➤ 6 clous de girofle
- ➤ 2 bâtons de cannelle
- ➤ 2 graines de cardamome
- ➤ 10 grains de poivre noir
- ➤ 1 pincée de curcuma
- ➤ huile, sel
- ➤ 1 pincée de safran
- ➤ quelques amandes émondées

☞ Retirer la peau du poulet. Emincer les oignons, ainsi que l'ail et le gingembre. Oter la peau des tomates et les couper.

☞ Faire revenir dans un peu d'huile (sésame, tournesol) les clous de girofle, la cardamome et le poivre, ainsi que les oignons, l'ail et le gingembre. Puis dorer les morceaux de poulet avec le piment rouge.

☞ Battre le yaourt avec le curcuma et le safran. Verser le mélange dans le faitout avec les tomates. Couvrir et laisser mijoter. Finir la cuisson. Décorer d'amandes à la fin.

Afin de rester à tonalité et saveur égale, un thé de Darjeeling, de Ceylan (*silver tips*, pointes argentées) d'Assam grand Jardin TGFOP, ou même un thé du Kenya accompagnera ce plat à la saveur chaude et parfumée.

Srî Râmakrishna : compter ou manger les mangues

Deux amis se rendirent dans une forêt de manguiers. Le premier qui avait de l'intelligence, était attaché aux biens matériels. Il commença de compter chaque manguier, avec le nombre exact de feuilles et de fruits pour évaluer le prix de la forêt au plus juste. Son compagnon alla simplement voir le propriétaire et avec sa permission, commença de cueillir les mangues d'un arbre et les mangea avec plaisir.

>─◄◆─○─◆►─◄

Quel est selon vous, le plus sage des deux ? Mangez les mangues ! Elles satisferont votre faim. Quelle est l'utilité de compter les arbres et leurs feuilles et leurs fruits, pour spéculer sans fin ?

Le sage dit qu'il est vain pour l'homme de perdre son temps avec des spéculations intellectuelles sur le comment et pourquoi de la création, alors que l'humble homme sage se lie d'amitié avec le Créateur et **goûte à sa création**.

Faisons de même avec cette délicieuse et sattvique recette de compote de mangues à la cardamome. La mangue est un fruit sacré et très prisé en Inde. La mangue est offerte en prasâd ou à un maître comme fruit de prix. De plus elle réduit les excès de pitta et de vâta, mais peut aggraver kapha. La cardamome réduit les excès de vâta, la noix de coco ceux de pitta, le safran équilibre le trois dosha. C'est donc une recette très saine, harmonieuse pour le corps et l'esprit.

Âm illaichi, compote de mangues à la cardamome

➤ 900 g de mangues fraîches, sinon 350 g de pulpe de mangue en conserve
➤ 450 ml de lait frais
➤ 1/4 de noix de coco grattée ou en poudre
➤ 2 c. à soupe de miel (doux)
➤ 50 g d'amandes effilées non salées
➤ 5 cardamomes
➤ 1/2 c. à café de cannelle, 1 pincée d safran

☞ Peler les mangues et retirer la chair. Mélanger avec la noix de coco. Faire chauffer le lait dans une casserole à fond épais. Y ajouter le safran, le miel liquide, les amandes, les cardamomes et cannelle.

☞ Faire bouillir le lait avec les épices et le réduire de volume jusqu'à 1/2 environ. Y ajouter le mélange de mangue et de coco, et continuer de cuire à feu doux jusqu'à ce qu'il épaississe. Mettre au frais et battre avec un fouet. Servir dans de petits bols.

Basavanna : vâchana, paroles

Voyez, le monde, telle une vague puissante
   s'abat sur moi.
Pourquoi monte-t-elle jusqu'à mon cœur,
   dites moi ?
O dites-moi, pourquoi monte-t-elle
Maintenant jusqu'à ma gorge ?
Seigneur,
Comment puis-je te parler
Quand elle me submerge
Par-dessus la tête ?
Seigneur, Seigneur
Entends mon appel...
O Seigneur des Rivières se rencontrant,
Ecoutes-moi !...

Basavanna (XIIᵉ siècle) était un poète et grand dévot de Shiva. Il fonda une communauté, les vîra-shivaiste, sans discrimination de croyance, de sexe, de classe sociale — communauté basée sur des principes égalitaires. Bien entendu les "Héroïques shivaistes" s'attirèrent les foudres des hindous orthodoxes et des brâhmanes. Nombre de ses poèmes de bhakti, montrent l'homme face au monde et à ses tentations.

Ces paroles de bhakti, de douceur et d'amour se retrouvent dans ce *firni* au lait et amandes. Un ancien dicton indien dit : "Que l'amour soit un condiment de douceur, et votre plat ravira tous les palais..." Ce gâteau ou sorte de pudding cachemirien à base de riz, de lait, de sucre, de safran, d'amandes et de cardamomes est, on ne peut plus pur et sattvique — comme ce poème.

Notons que ces épices et condiment réduisent les excès de pitta et de kapha, de vâta pour la cardamome et la pistache.

De sa douceur on ne peut dire... tant elle est délicieuse ; il n'y a qu'à la goûter, tout comme l'expérience de l'unité de Basavanna ne peut se décrire par des mots. Elle le submerge et il n'y a plus de place pour toute parole cherchant à la décrire — comme le rasa, la saveur et la douceur de ce *firni* ne peuvent se décrire, si ce n'est en en ayant l'expérience : c'est-à-dire en le goûtant.

L'expérience directe se passe de tout commentaire sur la nature de l'expérience. Il n'y a plus de dualité entre celui qui expérimente et celui qui est expérimenté, c'est-à-dire entre voyant et vu, connaissant-connu. Il n'y a que la **pure expérience**, la vision non-duelle.

Badam pista firni (spécialité du Cachemire)
Pudding au lait et aux amandes

- 1 tasse d'amande en poudre mélangée avec 1/2 tasse de lait
- 4 c. à soupe de farine de riz
- 2 1/2 tasses de lait, 5 c. à café de sucre
- 8 brins de safran
- 4 cardamomes écrasées

Pour garnir : 8 amandes, 8 pistaches, 1 feuille d'argent (facultatif)

☞ Mélanger la poudre d'amande et la farine de riz. Réserver.

☞ Faire bouillir le lait frais, ajouter le sucre, mélanger jusqu'à ce que le sucre soit dissout. Mélanger le safran avec un peu de lait dans une tasse à part. Puis le rajouter au lait bouilli. Y ajouter la pâte d'amande, mélanger à feu doux jusqu'à épaississement, puis parsemer de cardamome en poudre.

☞ Oter du feu. Laisser refroidir à la température de la pièce. Diviser le *firni* en quatre ou six petits bols — si possible en terre. Disposer les amandes et les pistaches hachées, puis la feuille d'argent ou *warak*. Mettre au réfrigérateur. Servir glacé.

Un thé de Chine à la rose congou, au Ylang-Ylang, ou un Earl Grey du Yunnan conviendra pour accompagner finement la subtilité de ce dessert.

Svâmî Râmdâs : la mort emporte tout

Le Seigneur Bouddha allait de villages en billages, afin de prêcher le dharma — la voie de la libération. Dans un village il trouva une femme qui avait perdu son fils unique. Elle se mourait de chagrin et restait inconsolable. Elle errait, demandant à tous que l'on fasse revenir son fils bien aimé à la vie. Tous lui disaient que cela était impossible, mais elle persistait, sourde à leurs paroles. Enfin un homme lui conseilla de se rendre auprès du Bouddha qui passait par son village.

Elle alla donc le trouver et le supplia. Le Bouddha lui répondit qu'il ferait revivre son fils si elle lui apportait des graines de sésame, mais d'une maison dans laquelle la mort n'était jamais rentrée. La femme fit toutes les maisons, mais tous lui dirent que la mort avait déjà emporté un parent, un fils, un époux, une mère et, qu'en vérité, il y avait plus de morts que de vivants. Aussi elle ne put rapporter le sésame au Bouddha.

Elle réalisa alors, que la mort faisait partie de la vie. Celui qui venait au monde, devait un jour ou l'autre en repartir. Et son chagrin s'atténua peu à peu. Elle pria le Bouddha de lui enseigner la voie du nirvâna, de la libération.

⊱┈✦┈○┈✦┈⊰

Le lien entre cette histoire de sagesse et cette recette est le **sésame** — une épice qui réduit vâta aggravé et équilibre les trois doshas. Le sésame est cité en poésie indienne : c'est une épice pure, légère et fraîche, tonique. Sa nature fluide (vâta) a "balayé tous les chagrins" ; c'est pourquoi elle fut choisie par le Bouddha, le Parfait.

Ce riz au sésame de l'Inde du sud est très équilibré : le citron réduit vâta et kapha en excès, le piment et le poivre réduisent kapha, l'asafoetida réduit kapha et vâta, la noix de cajou réduit vâta et enfin le riz — base de toute la cuisine indienne et surtout du sud, le riz réduit pitta en excès, et comme nous avons tous "quelque chose de… pitta" comme le dit un chanteur incontournable, le riz convient presque à tous.

Riz au sésame de l'Inde du sud

- ➤ 3 c. à café de ghî (ou plus selon goût)
- ➤ 250 g de riz complet et bouilli
- ➤ 1 c. à soupe de graines de sésame
- ➤ 1/2 c. à café de piment rouge en poudre
- ➤ 1 pincée d'asafoetida
- ➤ 5 grains de poivre noir
- ➤ 2 feuilles de laurier
- ➤ 1 c. à soupe de jus de citron vert
- ➤ 50 g de noix de cajou

☞ Dans une poêle, faire chauffer dans un peu de ghî les graines de sésame, la poudre de piment rouge, l'asafoetida et les grains de poivre. Puis les réduire en poudre.

☞ Chauffer le reste du ghî. Y ajouter les feuilles de laurier et le sel, ensuite le riz, les épices en poudre et le jus de citron. Bien mélanger et servir avec des noix de cajou.

Peut s'accompagner d'un thé des Nilgiris, de Darjeeling ou aux épices. Le thé des Nilgiris (de Ooty, Sud de l'Inde) de qualité fine, a beaucoup de similitudes avec celui de Ceylan et certains Darjeeling du meilleur cru. Ce thé cultivé en altitude à 2 500 m (comme le Darjeeling), est peu connu et peu cher. Ses feuilles entières ont un goût aromatique et fruité ; qualité Nonsuch T.G.F.O.P.

Manu—Smriti : les lois de Manu

Le Manu-Smriti ou Mânava-dharma-shâstra est un peu le code de conduite indien. C'est un des grands textes de la smriti ou Tradition (issue de la shruti ou Révélation). Il remonte au moins au IIe siècle av. J.-C. Il traite du dharma, des institutions, de l'éthique, des coutumes, des règles religieuses et sociales. Bref, tous les aspects de la vie indienne sont exposés.

Les origines de l'action (12.3-9, 11)
L'action qui a son origine dans le mental, la parole et le corps, peut avoir de bonnes comme de mauvaises conséquences. L'action amène l'homme à différentes conditions : élevées, moyennes et inférieures [...] Il obtient les résultats d'un bon ou d'un mauvais acte mental dans sa pensée ; d'un acte verbal dans sa parole ; d'un acte physique dans son corps.

>-+-<>-0-<+-+-<

Selon sa source, l'action peut être bonne ou mauvaise, en accord comme en désaccord avec le dharma. Cela a été explicité dans la Bhagavad-Gîtâ comme dans le yoga-vâsishtha.

L'action juste, demande de notre part une bonne connaissance des "ingrédients" avec lesquels nous allons l'"assaisonner". Un mental pitta donnera une forte action, souvent passionnée et extrême ; comme un mental kapha ou tamasique donnera parfois, une action lente, pensante et confuse.

De même dans cette recette *Dabada* du Gujarât, le juste équilibre des épices donnera des dosha équilibrés et réduira leurs excès. Ainsi le feu de pitta sera réduit par la noix de coco et la coriandre ; l'inertie de kapha par la graine de moutarde ; la fluidité de vâta (ainsi que kapha aggravé) par l'asafoetida et le gingembre ; et les tridosha rééquilibrés par la diversité du garam-mâsalâ.

Dabada, tomates farcies du Gujarât

- ➤ 500 g de grosses tomates fermes
- ➤ 1 c. à soupe de farine
- ➤ 1 tasse de noix de coco en poudre
- ➤ 1 piment vert
- ➤ 2 c. à soupe de graines de moutarde grillées à la poêle
- ➤ 2 bouquets de feuilles de coriandre
- ➤ 1 gros morceau de gingembre frais
- ➤ 1/2 c. à café de garam mâsalâ
- ➤ 1 pincée d'asafoetida, sucre, sel

☞ Couper le dessus des tomates du côté de la queue. Enlever les graines et la pulpe. Ensuite passer la noix de coco au mixeur avec le reste des ingrédients ci-dessus, ainsi que la pulpe de la tomate.

☞ En remplir les tomates avant de les disposer dans un plat à four. Les cuire à four moyen environ 80 mn. Servir avec de la chutney de menthe ou coriandre.

Un thé du Bhoutan, du Népal, du Sikkim, ou encore un chine vert au jasmin accompagnera ce plat. Notons que le thé rare du royaume himâlayen du Bhoutan, donne une infusion dorée, parfumée à l'arôme incomparable.

Râmâyana : le messager
(de 600 à 300 av. J.-C.)

Vent, souffle là où est ma bien-aimée,
Caresse-la, et reviens vite me caresser ;
À travers toi je sens son toucher,
Et contemple sa beauté dans la lune.
Ces choses représentent beaucoup pour celui qui aime.
Un homme ne peut vivre sans elles
Car elle et moi respirons le même air,
Et la terre que nous foulons est la même.

Nous avons là un des plus anciens exemples de dûta, de messager entre les amants séparés : ici le vent dans le Râmâyana, qui réunit par son toucher Râma et Sîtâ, ou encore le nuage, megha dans le yoga-vâsishtha, puis chez Kâlidâs dans sa célèbre pièce Megha-dûta, le Nuage-messager. Cette tradition qui remonte à l'époque védique et dans laquelle la nature participe, se retrouve aussi dans les anciennes chansons populaires des Douze mois ou bhârâmasâ et Chants de séparation ou viraha-gîtâ. C'est une très belle et ancienne forme poétique.

Le lien entre cet ancien poème d'amour du Râmâyana et cette recette, réside avant tout dans le "jeu de l'air" ou vâyu : c'est-à-dire de la légèreté, de la fluidité vâta de plusieurs épices utilisées ici. Notons aussi que le dhâl ou lentilles blondes — base du plat — réduisent les excès de pitta, comme le curcuma, la coriandre, le fenugrec, l'asafoetida, le ghî réduisent ceux de vâta, les graines de moutarde et le curcuma ceux de kapha. Le yaourt ajoute à la fluidité et légèreté de ce dhâl qui peut accompagner un simple riz blanc au ghî ou de pommes de terre sautées.

Dhâl au yaourt

➤ 4 tasses de moong dhâl, lentilles blondes cuites nature
➤ 1 c. à café de curcuma
➤ 1 tasse de yaourt nature
➤ 1/4 de bouquet de coriandre
➤ 1/2 c. à café de graines de fenugrec
➤ 1/2 c. à café de graines de cumin
➤ 1/2 c. à café de graines de moutarde
➤ 1/4 de c. à café d'asafoetida râpée
➤ 1 ou 2 piments verts, 1 morceau de gingembre frais
➤ 6 feuilles de laurier
➤ 1 c. à soupe de ghî

☞ Hacher finement le gingembre, le piment vert et les feuilles de coriandre. Bien battre le yaourt. Mettre une casserole, de préférence à fond épais sur le feu avec le ghî. Faire chauffer doucement.

☞ Ajouter dans l'ordre : asafoetida, fenugrec, graines de moutarde et de cumin. Lorsque les graines de moutarde crépitent, ajouter le gingembre haché et le piment. Faire frire un moment et ajouter le curcuma en poudre et les feuilles de laurier. Y verser les lentilles.

☞ Couvrir 1 ou 2 minutes. Oter le couvercle et ajouter le yaourt battu et le sel. Bien mélanger. Puis, porter à ébullition. Terminer en parsemant de coriandre hachée.

Srî Râmakrishna : la poupée de sel qui voulait mesurer l'océan

Une poupée de sel voulu mesurer un jour la profondeur de l'océan, et le dire ensuite aux autres. Mais cela elle ne put jamais le faire, car dès l'instant où elle s'immergea dans ses eaux, elle se fondit en lui, l'infini océan. Maintenant, qui pourra dire sa grandeur ?

Ce qu'est Brahman, personne ne peut dire. Dans l'état de non-dualité du samâdhi, comme de profonde méditation, survient la connaissance de l'Absolu, donc de l'unité. Dans cet état, disent les libérés, tout raisonnement s'arrête, aussi l'home devient muet. Il n'a plus le pouvoir de décrire l'Indescriptible et absolu Brahman.

⊰⊱•⊙•⊰⊱

Cette simple histoire est connue dans tous les âshram. Elle fait partie de l'enseignement imagé à travers de courtes et simples métaphores, accessibles à tous : lettrés comme illettrés.

La profonde méditation, comme la présence à ce qui est, se stabilise à travers la nature même du sarvam annam et que nous recevons à tous les niveaux. Aussi en ce qui concerne la nourriture, la qualité et le choix de l'annam sont (relativement) importants.

Si la concentration puis la méditation se **stabilisent** aussi avec la bonne utilisation des épices et des condiments, cet *aviyal* du Kérala en est la démonstration. Les tridosha aggravés sont équilibré et tempérés par le choux-vert, les haricots verts, les carottes, la noix de coco qui réduisent les excès de pitta, les trois premiers pour vâta et enfin le curcuma les excès de kapha…

Les *aviyals* ou sautés de légumes sont préparés surtout dans le Kérala, à Palakkad, puis dans le Tamil Nâdu. Ils sont accompagnés surtout de yaourt, de galettes frites et légères de papadam, de riz, assaisonnés de quelques épices et de noix de coco râpée. C'est un plat délicieux, léger et nutritif.

Grand curry aviyal du Kérala

- ➤ 50 g d'aubergines
- ➤ 50 g de pommes de terre
- ➤ 50 g de courges
- ➤ 50 g de carottes
- ➤ 1 banane encore verte
- ➤ 1 drumstick
- ➤ 50 g de haricots verts
- ➤ 50 g de chou pommé (facultatif)
- ➤ 1/2 tasse de noix de coco râpée fraîche ou en sachet
- ➤ 1/2 tasse de yaourt nature, aigre de préférence
- ➤ 1 piment vert
- ➤ 1 c. à café de graines de cumin
- ➤ 2 ou 3 feuilles de laurier
- ➤ 1/2 c. à café de curcuma en poudre, sel

☞ Laver et peler tous les légumes. Coupez-les en dés de 2 cm. Au mixeur faites une pâte fine avec la noix de coco et les graines de cumin. Mélanger cette pâte au yaourt.

☞ Dans une casserole, mettre le sel, le piment et le curcuma ainsi que les légumes. Ajouter un peu d'eau. Couvrir et faire cuire doucement. Lorsque les légumes sont cuits, mettre la noix de coco et bien mélanger. Porter doucement à ébullition. Ajouter le laurier, et servir.

Un thé goût russe aux agrumes, comme un thé des hauts-plateaux du Vietnam, légèrement corsé, ou encore un thé vert *Nawalapitiya* au goût fleuri et à la saveur enveloppée, accompagnera bien cet *aviyal*.

Bhavabhûti : un poisson délicieux
(VIIᵉ siècle)

Je roulais le poisson dans le curcuma, le cumin et autres épices
Avec du poivre pour rendre délicieuse sa saveur ;
Puis je le fris dans de l'huile de sésame en quantité —
La saveur épicée et savoureuse fit se creuser
Ma langue de plaisir ;
Je ne but pas afin d'en garder le souvenir
Et retournais au poisson
Finissant ainsi le curry de ce délicieux petit poisson.

Pour son regard sur la vie, pour son style vif et moderne, Bhavabhûti est avec Kâlidâs et Bhartrihari l'un des grands poètes sanskrits médiévaux. Ce court poème ne traite pas particulièrement de sagesse, même si le ton est épicurien (dans le vrai sens grec du terme), mais de nourriture et d'un plat de "poisson avec du curcuma, du cumin, du poivre et de l'huile de sésame" — poisson qui semble succulent.

On retrouve le même style enlevé dans le célèbre Epique tamoule du *Shilappadikaram*, le Bracelet de cheville (IIIᵉ av. J.-C.) d'Ilango Adigal (Chant XVI pour un passage similaire) et si bien traduit par Alain Daniélou.

En "correspondance", nous avons pu retrouver cette préparation dans la recette bengâli du poisson *mâsâledar*. Notons que le curcuma (dit poudre jaune, fortes propriétés antiseptiques) et le cumin, conviennent bien à kapha et pitta, la graine de moutarde et le poivre à kapha, et le sésame à vâta. Notons que le poisson n'est pas proscrit par l'âyurveda : d'eau douce il convient aux tridosha, de mer moins pour pitta et kapha.

Poisson bengali mâsâledar

- ➤ 500 g de poisson à chair ferme
- ➤ 1 c. à soupe de graines de cumin
- ➤ 1 c. à café de curcuma
- ➤ quelques grains de poivre noir
- ➤ 1 pincée de piment rouge en poudre
- ➤ huile de sésame
- ➤ quelques feuilles de coriandre fraîche
- ➤ sel

☞ Laver et couper le poisson en filets, puis le faire dorer à la poêle avec l'huile de sésame et réserver.

☞ Moudre, pour obtenir une pâte, les graines de moutarde avec le cumin, le piment rouge et le poivre noir. Ajouter un peu d'eau pour la consistance.

☞ Faire cuire cette pâte avec un verre d'eau jusqu'à ébullition. Réduire le feu et ajouter le poisson et le sel. Finir la cuisson jusqu'à la réduction de la sauce mâsalâ. Servir avec des feuilles de coriandre.

Un thé coréen pour accompagner, ou terminer un plat : un thé vert de caractère intermédiaire entre les thés chinois et japonais. Feuilles tendres, belle infusion, goût suave. Ainsi, un thé semi-fermenté, le Oolong Impérial, un thé rare au parfum subtil et fleuri, à l'infusion dorée comme ce poisson *mâsâledar*.

Srî Râmakrishna : comment voir Dieu

Un disciple demanda un jour à son maître : "Guruji, dites-moi comment voir Dieu." "Viens avec moi," dit le maître, "et je te le montrerai." Il conduisit le disciple jusqu'au lac et tous deux s'immergèrent dans l'eau. Soudain le maître pressa la tête du disciple sous l'eau. Puis il la relâcha au bout d'un moment. Le maître demanda : "Comment te sens-tu ?" Le disciple s'exclama, "Oh ! j'ai pensé mourir ; je cherchais mon souffle." Alors le maître répondit en souriant : "Quand tu ressens la même "urgence" pour Dieu, alors sa vision est proche."

>─◇─○─◇─<

Dieu, le Soi, l'Absolu — selon l'approche — sont le souffle même de la vie. Quand leur recherche devient une urgence vitale, alors la réalisation est proche, à portée des yeux et du cœur.

Le souffle est lié à l'air, donc à la fluidité et légèreté de vâta (proche de sattva guna), aussi nous avons choisi une recette "légère et fluide" avec des légumes et épices de type vâta comme les *drumsticks*, le tamarin, les graines de pavot, l'ail, le cumin, les feuilles de curry.

Marché de Madras

Marché aux fleurs de Ooty

Repas de mariage à Ooty

Thâli et épices

Chou vert en curry

l'Inde

Kitcheree

Raïta aux concombres et pappadam

Murkha dhâl

Sauté de courges, poix et aubergines

Riz au safran

Naan peshwari

Curry de drumsticks du sud

➤ 4 drumsticks grattés et coupés en morceaux
  (épiceries indiennes et asiatiques)
➤ 100 g de toovar dhâl (lentille jaune pâle semblable au pois cassé)
➤ 1 morceau de tamarin de la grosseur d'un citron
➤ 1/2 piment rouge ou une pincée
➤ 1 c. à soupe de graines de coriandre
➤ 6 grains de poivre noir
➤ 1 pincée de curcuma
➤ 1/2 c. à café de graines d'anis
➤ 1 c. à café de graines de pavot
➤ 1/2 tasse de noix de coco séchée
➤ 4 gousses d'ail émincé
➤ 1/2 de graines de cumin, quelques feuilles de curry, sel

☞ Dans une poêle sèche, faire revenir le piment rouge, le poivre, la coriandre, les graines d'anis, de cumin et de pavot, ainsi que la noix de coco râpée. Les passer au mixeur.

☞ Laver et faire tremper le dhâl quelques heures, puis le faire cuire dans cette même eau avec sel et curcuma. Lorsque le dhâl et à moitié cuit, ajouter les drumsticks jusqu'à ce que tout soit tendre.

☞ Enfin, ajouter le jus de tamarin et la pâte d'épices, mélanger et finir la cuisson 10 mn environ. Puis faire revenir l'ail haché dans un peu d'huile avec les feuilles de curry. Verser sur le curry et servez chaud.

Un thé de Darjeeling comme le Namring (T.G.B.O.P.), à la saveur corsée et aromatique, ou encore un thé de Ceylan Pointes d'or (F.O.P.) accompagnera ou terminera ce savoureux curry du sud.

Remarque : le toovar, ou toor dhâl, convient bien à vâta et kapha, moins à pitta.

Svâmî Râmdâs :
les sâdhus et la nourriture

Il y avait un sâdhu du Malabar, grand et fortement bâti. Avant d'être sâdhu il était dans la police. Il ne portait qu'une simple pièce de tissu autour des reins. Un jour, comme il allait pour son bhikshâ (*aumône de nourriture*) quotidien, un chef de famille lui dit qu'il ferait mieux de travailler pour gagner sa nourriture, plutôt que de la mendier. Il ajouta qu'il lui donnerait à manger s'il coupait ce gros tas de bois dans la cour. Sans un mot, le sâdhu prit la hache et commença de couper le bois, l'empilant soigneusement. Puis il posa la hache près de la pile, et s'en alla sans un mot. Le chef de famille le vit partir sans réclamer sa nourriture. Il l'appela et lui demanda pourquoi. Le sâdhu répondit calmement : "Je ne prends pas ma nourriture là où je travaille, et je ne travaille pas là où je prends ma nourriture !"

Cela signifie que les sâdhu ne subsistent que sur ce qui leur est donné avec amour.

><>-◇-<>-◁

Comme les bardes, les chanteurs bâuls, les (vrais) sâdhus "vont là où le souffle de la shakti les poussent"... Ils sont sans attaches matérielles, se contentant de peu. Ils sont "libres comme l'air" comme dit la chanson.

Bien entendu, il y a "sâdhu" et sâdhu, comme il y a "lait" et lait, ou "or" et or : lait pur ou lait coupé d'eau ? Or pur à 24 cts ou or mélangé à 18 cts ? Et comme de tous temps il y a eu du pur et... du "mélangé", à nous de bien discerner !

Si le renonçant est libre comme l'air, voici une recette légère comme l'air, fraîche, simple et sattvique : une spécialité du nord, d'origine moghole, le *badam sherbet*. Notons que l'amande, la cardamome et la rose sont de type vâta.

L'amande est bonne pour vâta et pitta (sans peau pour ce dernier), mais moins pour kapha.

Badam sherbet, boisson aux amandes

➤ 150 g d'amandes
➤ 10 cardamomes vertes
➤ 1 kg de sucre blanc ou de canne roux (selon le goût)
➤ 1/4 l d'eau et 6 gouttes d'essence de rose (kewra)

☞ Faire tremper les amandes non-salées la veille et couvrir d'eau. Le lendemain, les blanchir et les écraser au mortier dans un peu d'eau afin d'obtenir une pâte fine. Dans un récipient, verser l'eau sur la pâte. Ajouter le sucre et faire cuire à feu très doux en remuant.

☞ Moudre les graines de cardamome avec leur cosse dans 1 c. d'eau. Passer dans une mousseline et ajouter au sirop d'amandes. Bien remuer en retirant la peau qui se forme sur le dessus. Laisser jusqu'à épaississement du sirop et retirer du feu. Passer dans une mousseline, laisser refroidir, ajouter l'essence de rose. Servir frais.

Lallâ : unité
vâkyâni, paroles (IV, 30.2)

Celui qui a réalisé que l'"autre" et "lui-même"
      sont identiques,
Celui qui a réalisé que le jour (*la joie*) et la nuit
      (*la peine*) sont pareils,
Celui qui est libre de toute dualité,
Lui, et lui seul a vu le Seigneur des dieux.

En un éclair je vis couler une rivière.
En un éclair je ne vis ni pont ni rien pour la traverser.
En un éclair je vis une multitude de fleurs.
En un éclair je ne vis ni la rose ni ses épines.
En un éclair je vis la terre comme un brasier.
En un éclair je ne vis ni la terre ni la fumée.
En un éclair je vis la mère des Pândavas.
En un éclair je vis la tante de la femme du potier.

                        ➤⬥➤○⬥◄⬥◄

      Lallâ ou Lalleshvari, poétesse, mystique et yoginî du Cachemire (naquit vers 1326), est certainement — avec Ândal et Mïrä-Bâï[1] — l'une des très grandes mystiques de l'Inde — si l'on peut toutefois donner des superlatifs en matière de réalisation.

      Les poèmes de Lallâ sont inclassables, hors-normes, fruit de son expérience directe de l'unité. Ils font parfois penser à certains chants du yogî tibétain Milarepa. Le yoga de Lallâ est le yoga du shivaïsme du Cachemire d'Abhinavagupta, la philosophie trika, avec l'advaïta et la bhakti pour fondement. Il est proche aussi des doctrines tantriques du kundalinî et laya-yoga, ainsi que du sûfisme et même du bouddhisme.

      Les visions réelles de Lallâ durant l'extase du samâdhi sont, il me semble, autant d'éclairs, de courtes fulgurances qui lui révéleront l'unité — un peu comme le jeu d'un kaléidoscope qui révèle différentes images d'une même personne, d'une même histoire. Lallâ emploie ici un langage symbolique, imagé et abstrait qui n'a plus rien à voir avec le langage conventionnel et duel. Celui de Lallâ est libre de toute logique. Il reflète sa vision de l'Un, de sa liberté. L'Un

---

1. **En préparation** : ÂNDAL, LALLÂ ET MÎRÂ-BÂÏ : Trois femmes indiennes ou l'Aventure de la sagesse.

de Lallâ est comme cette rivière qui coule, mais sans pont pour la traverser. L'Un est à la fois le but et le moyen, et à la fois il n'est aucun des deux.

Il est la terre embrasée et la fumée et à la fois il n'y a ni feu ni fumée, comme ni vu ni voyant.

Il est l'Un perçu comme tel — comme la fleur de Lallâ "vue" dans son essence, et non plus dans sa forme séduisante de "rose" ou douloureuse d'"épine".

Il est l'Un indivisé dans la division — comme dans la vision ou plutôt la perception *ad infinitum* de lui en tout les êtres : comme "dans-la-tante-de-la-femme-du-potier…"

La parole de Lallâ me semble bien proche de celle du *haiku* zen : elle demande de notre part un lâcher-prise total et inconditionnel du mental et de toute dualité. Sa parole repose bien sur la fluidité et la liberté de la réalisation.

Pour illustrer cette radicale transformation de l'être jusqu'en son fondement et cette multiplicité, nous avons choisi (on ne peut plus relativement, bien entendu !) la recette dans laquelle le lait se **transforme** en *paneer* ou fromage — ici sous l'action du citron, le **catalyseur** ; tout comme dans le processus de transformation intérieur, survient celui d'un catalyseur — un être, une parole, une pensée, un regard — un "déclencheur d'éveil".

Ainsi, cette **multiplicité dans l'unité**, est semblable — sous certains aspects — à cette palette d'épices, de saveurs et de dosha multiples. Leur unité concourt à en faire un plat équilibré, délicieux, que n'aurait certainement pas reniée Lallâ la cachemirienne, Yogeshvari.

Curry de paneer et de noix de coco (Bengâle)

➤ Paneer fait avec 1 l. de lait
➤ 100 g de noix de cajou
➤ 1 tasse de noix de coco râpée
➤ 100 g de tomates coupées en dés
➤ 1 feuille de laurier
➤ 1 pincée de curcuma et de sucre
➤ 1 c. à café de garam mâsalâ
➤ 1 yaourt nature
➤ quelques feuilles de coriandre, sel, piment rouge

☞ Couper le paneer en dés et le faire frire jusqu'à ce qu'il soit doré. Faire tremper les noix de cajou dans un peu d'eau 1 heure.

☞ Faire chauffer dan un peu d'huile les épices avec le laurier et la noix de coco râpée pendant 5 minutes. Ajouter les tomates, le yaourt battu, le sucre et le sel. Couvrir d'un peu d'eau, faire bouillir et baisser le feu en ajoutant les noix de cajou.

☞ Cuire jusqu'à ce que la sauce épaississe. Ajouter en dernier le paneer et chauffer encore 5 mn. Oter du feu et garnir de feuilles de coriandre hachées.

Notons que l'épinard cuit, convient aux trois dosha, pour pitta avec modération.

Kabîr : le libéré

Je ne suis ni croyant ni incroyant,
Je ne vis ni par les Écritures ni par les sens,
Je n'enseigne ni apprend.
Je ne suis ni maître ni serviteur,
Je ne suis ni libre ni asservi,
Je ne suis ni détaché ni attaché.
Je ne suis ni près ni éloigné de personne.
Je n'irai ni au ciel ni en enfer.
J'accomplis toutes les actions et ne suis pas impliqué.
Peu comprendront mes paroles : ceux qui les comprendront
[seront stables.
Kabîr ne cherche ni à établir ni à détruire.

>−+−◇−◇−+−◇

Le ton de Kabîr (1440-1518) me semble bien proche de cet autre "insoumis de l'esprit" qu'est J. Krishnamurti. Le même anticonformisme qui leur faisait dire : ne croyez rien que vous n'ayez déjà vérifié et eu l'expérience ; de même avec cet autre maître contemporain qu'est svâmî Prajnânpad.

Kabîr le poète, mystique et tisserand de Bénârès, disait : "les hindous et les musulmans ont le même Dieu". Sa voie est celle d'un yoga de type ascétique non-dualiste (advaïta) et de bhakti dite dualiste. Kabîr est avec Mîrâ-Bâï, l'un des grands mystiques du XVe siècle. Il fut disciple du grand svâmî Râmânanda. C'est un réformateur et un anti-conformiste de par son rejet du ritualisme, des varna (classes sociales), des strictes doctrines et du verni théologique. Kabîr annonce les bâüls et Rabîndranâth Tagore.

>−+−◇−◇−+−◇

Les boissons et préparations à base de *curd* ou yaourt, sont on ne peut plus sattviques. Il est servi en âshram, pur ou avec des épices, des légumes, des fruit, sucré ou salé. C'est la nourriture sattvique par excellence — comme ce poème de Kabîr tout de lumière et de joie. Le yaourt est issu du lait, et le lait de la vache, dont on sait le caractère sacré, car c'est elle qui "donne l'illumination (*go* en sanskrit signifie vache, mais aussi lumière spirituelle).

Pour illustrer la pureté de Kabîr, nous avons choisi la recette gujârati du *curd curry* ou curry au yaourt avec des épices de type vâta comme le fenugrec, le cumin, l'asafoetida, les feuilles de curry et le gingembre ; des épices "légères".

Curry au yaourt du Gujarât

➤ 2 tasses de yaourt nature (bio ou fait maison)
➤ 2 c. à soupe de farine de pois chiche (besan)
➤ 6 tasses d'eau
➤ 20 feuilles de curry
➤ 1 c. à café de piment vert haché
➤ 1 petit morceau de gingembre haché
➤ 1 c. à soupe de sucre
➤ quelques feuilles de coriandre
➤ 1 pincée de piment rouge
➤ 1/2 c. à café de graines de fenugrec
➤ 1/2 c. à café de graines de cumin
➤ 4 clous de girofle
➤ 1 pincée d'asafoetida
➤ sel, huile

☞ Mélanger le yaourt, la farine et une tasse d'eau pour en faire une pâte mousseuse.

☞ Ajouter les 4 tasses d'eau restantes, les feuilles de curry, le piment vert, le gingembre, le sucre et le sel. Réserver.

☞ Faire chauffer l'huile et faire sauter les graines de moutarde et les graines de fenugrec ainsi que le piment rouge. Otez du feu et y mettre aussitôt les graines de cumin, les clous de girofle et l'asafoetida.

☞ Remettre la casserole sur le feu, mélanger et ajouter le mélange de yaourt.

☞ Faire bouillir et réduire la flamme, tout en mélangeant souvent. Finir la cuisson sans couvrir, environ 10 mn à feu doux.

☞ Garnir de feuilles de coriandre. Servir chaud avec du riz blanc, du *khitcheree* ou un *pulao*.

D'une certaine manière ce qu'est le *curd curry* au nord, le *rasam* l'est au sud.

Svâmî Râmdâs : on connaît la saveur du cake en le goûtant

Le pouvoir du Nom et le pouvoir de Dieu sont un, car tous deux sont identiques, comme le soleil et la lumière. L'un ne peut exister sans l'autre. "La saveur du cake ne se connaît qu'en le goûtant," dit le proverbe. De même si vous voulez connaître le pouvoir et la grandeur du nom, répétez-le et voyez l'effet sur votre mental, comment il le purifiera et vous amènera en contact avec le Divin en vous. Cela n'est possible qu'à travers l'expérience directe. Râmdâs (*se désignait toujours à la 3ᵉ personne*) aura beau vous parler de sa grandeur, tant que vous n'en aurez pas l'expérience, vous ne la comprendrez pas. De même, avec la douceur du sucre, il ne sert à rien de la vanter, tant que vous ne l'aurez pas goûté, vous ne pouvez la connaître. Mais dès l'instant où vous goûtez le sucre, vous connaissez sa saveur.

>─◆─○─◆─<

Tous les grands maîtres primèrent l'expérience directe sur la seule connaissance intellectuelle. La **mise en pratique** prime tout. De même en cuisine !

De nature vâta, j'ai effectivement un (grand) faible pour les sweets et desserts : de là ce cake de ma composition, puisque Svâmî Ramdâs en parle pour illustrer son propos. Cake indien, français ou anglais ? Disons un heureux mélange des trois !

Cake selon P. Mandala

- ➤ 200 g de farine blanche
- ➤ 150 g de sucre (il me semble que le sucre blanc de canne, alourdit moins la pâte que le roux)
- ➤ 150 g de beurre fermier
- ➤ 3 gros œufs de ferme
- ➤ 1 sachet de levure chimique
- ➤ dattes et abricots secs (facultatif pour les abricots)
- ➤ amandes effilées ou noix de cajou
- ➤ raisins secs : 50 g de Sultana, 50 g de Smyrne, 50 g de Malaga ou de Corinthe
- ➤ zeste et jus d'1/2 citron vert (ou d'orange)
- ➤ épices : 1/2 c. à café de cannelle et 1/2 c. à café de cardamome en poudre et 1/4 de c. à café de noix de muscade râpée
- ➤ 1/2 tasse à thé de peau de lait ou de yaourt nature ou de crème fraîche
- ➤ 1 verre à liqueur de rhum ou de cognac (facultatif)
- ➤ 1/4 c. à café de sel fin

☞ Dans un grand saladier, mélanger le sucre et le beurre — comme l'introspection à la concentration.

☞ Ajouter l'un après l'autre les œufs entiers, la farine peu à peu, la levure et le sel. Délayer progressivement afin de bien unifier la pâte, comme un mental limpide purifié de toutes ses agitations (vrittis).

☞ Auparavant faire tremper et gonfler les raisins dans un peu d'eau + jus de citron vert (ou d'orange) ou encore dans un peu de rhum ou de Cognac.

☞ Ajouter les raisins à la pâte, puis les zestes et le jus de citron (ou d'orange), les dattes, les abricots (coupés finement), les amandes, les noix de cajou, la cannelle, la cardamome et la noix de muscade en poudre. Puis la peau de lait (le yaourt nature si on veut faire léger : la crème fraîche sera plus riche).

J'ajoute parfois du yaourt quand la pâte est trop épaisse. Elle doit être lisse, légère et crémeuse. Selon moi, la réussite d'un cake tient au tour de main pour bien mélanger le tout et à la cuisson. Bien entendu la qualité des ingrédients est importante.

☞ Verser dans un moule à cake (préférence pour moule haut) bien beurré. Mettre à four modéré (bien chauffé au préalable) environ une heure th. 5-6. Vérifier la cuisson au moyen d'une lame de couteau qui doit ressortir presque sèche.

La vie en T

Selon moi, un bon cake — si bon soit-il, est incomplet sans un thé. La palette des thés est large. Voici quelques conseils pour accompagner ce cake aux fruits et épices. Dans les thés classiques, ma préférence va au Darjeeling (first flush T.G.F.O.P.), à l'Earl Grey et pointes blanches de Chine d'une grande finesse, au thé du Yunnan, à la rose Congou, et au thé des Nilgiri ; c'est là où nous habitons et bien entendu j'ai un faible pour ce thé mal connu. Ooty est à 2,500 m d'altitude, comme Darjeeling, parmi les plantations de thé et d'eucalyptus. D'autres thés peu connus comme ceux du Sikkim, du Népal sont délicieux ; leur arôme fruité, de noisette, de feuilles et de terre mouillée est proche d'un Darjeeling du meilleur cru.

Parmi les thés aromatisés et aux fruits, ma préférence va au thé à la mangue, au lotus, au ylang-ylang. Tous ces thés se boivent purs, sans lait ni sucre afin de ne pas masquer l'arôme.

Dit en chantant, la vie en thé est proche de la vie en rose...

Femme au chapelet.
École moghole de Lucknow, vers 1770.

Partie 3

Nourriture d'Âshram et Prasâd

Du matériel au spirituel

"Dans la nourriture pure est une nature pure ;
Dans la pure nature se fixe fermement la mémoire ;
Dans une mémoire stable se sont déliés
tous les nœuds du cœur".

CHÂNDOGYA UPANISHAD. VII, 26,2.

Vrishabhâvamûrti.
Bronze Chola. XIᵉ siècle.

INTRODUCTION

Du matériel au spirituel

L'univers est la merveilleuse création de Dieu,
Toutes les espèces ont la place qui leur revient ;
Ne laissons pas l'une dominer l'autre.

ISAVASYA UPANISHAD

Depuis les origines, l'Inde a toujours dissocié le matériel du spirituel, tout en les réconciliant. C'est clairement exposé dans la Bhagavad-Gîtâ, Chant XVII, shraddhâ traya vibhaga yoga, le Yoga des trois sortes de foi, qui décrivent la nature des guna : versets 7 à 10. Puis se poursuit par les trois sortes de sacrifices (yajnâs), d'austérités (tapas) et de dons (dânas).

Ainsi, l'individu appartient à l'un de ses trois types (guna), tant extérieurement qu'intérieurement, tant par le choix de ses "nourritures" (annam ou âhârâ), que dans celui des tapas, des "sacrifices" qu'il accomplira afin de se libérer du sens de l'ego, que de la qualité et quantité des "dons" qu'il fera.

Dans ce dernier chapitre nous verrons la "nourriture" par rapport à la Gîtâ qui fait autorité en la matière ; puis dans le contexte des âshram, c'est-à-dire de l'ascèse, du sacrifice ou tapas ; puis dans celui du prasâd, c'est-à-dire de l'offrande, du don ou dâna.

La nourriture selon les sages

Commençons ce chapitre, par cette vérité — ô combien d'actualité — de srî Râmakrishna, qui démasque les faux-semblants et remet les choses à leur juste place :

"La nourriture est le grand problème du Kali yuga, de cet âge ombre actuel. Parfois il faut savoir s'en passer ou ne pas en dépendre ; ou alors tout ce qui est Dieu est oublié."

Paroles à méditer.

Il est certain qu'un contemplatif n'a pas besoin de s'alimenter comme une personne devant fournir un effort intense, physique ou intellectuel ; encore plus s'il habite dans un pays chaud, froid ou tempéré, et bien entendu par rapport à son guna et dosha — à sa nature et à son tempérament. Même un moine tibétain vivant au froid de Darjeeling ne se nourrit pas de la même manière qu'un yogî du sud de l'Inde. Cette évidence amène la question que tous et toutes nous nous posons ou nous sommes posés par rapport au chemin :

"**Végétarien** ou **non-végétarien** ?"

Râmakrishna :

> "Tout dépend de votre niveau spirituel. Cela ne vous fera pas de mal dans le chemin de la non-dualité. Un jnânin, quand il mange, verse sa nourriture dans le feu de la kundalinî comme une offrande au Soi. Mais pour un bhakta (dévot), c'est différent. Il ne devrait prendre que de la nourriture pure, sattvique. La nourriture carnée n'est pas faite pour lui. Je dois dire cependant que celui qui aime totalement Dieu, a sa bénédiction, même s'il se nourrit de viande de porc, et combien misérable est celui qui plonge son esprit dans la richesse et la luxure, même s'il ne mange que du *havi-shyana*, du riz au ghî (nourriture sattvique)."

Effectivement, il est vain de prendre une nourriture sattvique et végétarienne si les pensées ne sont pas pacifiées et purifiées, et si les actes ne sont pas en accord. C'est un peu comme faire une cure de décoction de plantes âyurvédiques, le matin à jeun pour ensuite fumer ou manger une tranche de saucisson !

Et Râmakrishna ajoute :

> "Pour celui qui vit de nourriture végétarienne simple et non-excitante, mais ne désire pas vraiment atteindre Dieu (ou réaliser le Soi), cette pure nourriture est aussi malsaine que le bœuf. Par contre, pour celui qui s'efforce de connaître Dieu, le bœuf est aussi sain que la nourriture des dieux ou prasâd."

D'emblée Râmakrishna nous met face à la réalité des choses. Il chasse mâyâ qui berce d'illusions. Ces paroles sont la vérité même. Tout le reste n'est que compromis et mensonge. Ce qui est contraire à l'esprit du yoga — comme de tout chemin spirituel — c'est aussi l'attachement à ce que l'on mange et qui font de la nourriture une partie indûment importante de la vie. Il est bien d'être conscient qu'un aliment — quel qu'il soit — est agréable au palais, seulement on ne devrait éprouver ni exultation de l'avoir, ni regret de ne pas l'avoir. C'est rester équanime à travers samyam, la maîtrise de soi et le contentement ; l'utilisation juste et vraie des choses, dont celle de la nourriture, mais sans dépendance.

Aussi on peut se poser la question : "Quelle nourriture retirerons nous de ces monceaux d'aliments sains, bio, macro, végétariens et végétaliens, si notre esprit reste constamment absorbé dans des pensées matérielles et dualistes, confuses et agitées ?"

De nombreux disciples — Indiens et Occidentaux, demandaient à Mâ Ânanda Moyî des directives sur la nourriture et s'ils devaient suivre une diète végétarienne. Ses paroles sont explicites :

Mâ : "Le résultat dépend de ce que vous faites et de la manière dont vous le faites. Si vous n'avez pas l'habitude de manger de la viande et du poisson, n'en prenez pas ! Si d'autres le font, laissez-les faire. Lorsque le climat d'un pays rend souhaitable un régime carnée, et que les habitants de ce pays le suivent parce qu'ils sont nés dans ce pays, ils ont raison. Aucune objection en ce qui les concernent. Si un mets ou une boisson vous aident à trouver Dieu, prenez-en."

C'est une des raisons pour laquelle nous donnons dans ce livre quelques recettes non végétariennes, en accord avec l'âyurveda qui, encore une fois ne proscrit pas la viande, le poisson et le œufs.

Terminons par ces directives de Svâmî Râmdâs : "Papa", l'un des grands maîtres du Sud de l'Inde, dont l'âshram se trouve à Kahangad, non loin de Mangalore ; directives "douces sur les aliments sattviques et la relation nourriture-mental du sarvam annam.

Râmdâs : La nourriture a son importance. Si vous mangez n'importe quelle nourriture, vous perdrez le contrôle du mental. Beaucoup deviennent violents et font des actes répréhensibles à cause de leur mauvais régime alimentaire. Mais la nourriture saine n'est pas tout ; ce n'est qu'un moyen. Aussi que les végétariens ne s'enorgueillissent pas et ne se croient pas supérieurs aux autres. La tolérance et l'humilité doivent régner en eux et aller de paire avec leur méditation.

Ceci dit, lors de nos séjours dans les âshram de Mâ Ânanda Moyî à Kankhal (Hardwar), Bénâres, Poona, comme à celui de Râmana Maharshi à Tiruvânnamalai, comme dans les âshrams védantiques Râmakrishna, la nourriture est toujours sattvique, légère et substantielle, délicieuse : galettes de châpattî, lait frais, yaourt, riz, ghî, légumes, fruits, des *sweets* parfois, du thé ; une nourriture propice à la paix de l'esprit et des sens.

Une fois l'habitude prise, il est certain que la viande perd peu à peu tout intérêt — particulièrement les viandes rouges — rajasiques, n'apportant au mental qu'agitation, lourdeur et irritabilité.

Terminons en disant que cette (fausse) question des partisans purs et durs du bio et **végétarien** et des **non-végétariens**, adeptes du steak bien saignant et du vin rouge, devient une question **très relative**.

121

Par expérience, j'ai l'intime conviction que les choses viennent d'elles-mêmes, au moment voulu — tout comme survient un jour, naturellement, le détachement, et non plus le renoncement ; l'effacement de l'ego, et non plus sa mise en croix. Pour être durable, rien ne doit être forcé, même si au début de tout chemin spirituel, de toute sâdhanâ, il faut entreprendre des tapas (ascèse, austérités) afin de pouvoir transcender les opposés et les dualités. Mais à chacun son chemin.

"Tout est déjà présent", comme le dit le Yoga-vâshistha. Il n'y a rien à trouver de plus qui ne soit déjà là, en nous. Aussi, il n'y a pas à "aller vers", mais bien plus à "revenir à".

À méditer.

Alors ne faisons plus le jeu du dictat de l'ego — tout dans la société actuelle concourt assez à le magnifier et à le sécuriser — aussi disons comme Râmana Mahârshi : "Mangez donc sans penser à vous !".

Svami Raghunathânanda et Patrick Mandala,
lors du Srî Râmakrishna jayanti à
l'âshram védantique srî Râmakrishna de Ooty.

1 • La Nourriture d'Âshram

yat karosi yad asnâsi
   yaj juhosi dadâsi yat
yat tapasyasi kaunteya
   tat kurusva madarpanam

   Tout ce que tu fais, ce que tu manges,
   ce que tu sacrifies, tout ce que tu donnes,
   toutes austérités que tu accomplis,
ô Fils de Kuntî (Arjuna), fais-M'en l'offrande.

BHAGAVAD-GÎTÂ, CHANT IX, VERSET 27.

Ce chapitre fait suite au précédent et à tout ce qui a été dit auparavant, aussi nous n'y reviendrons pas, si ce n'est en donnant quelques simples recettes d'âshram, du Nord, du Sud, du Bengâle, toujours quelques remarques en rapport avec l'âyurvéda et le choix des thés accompagnant ou terminant le plat.

Le *rasam* ou consommé d'épices, au poivre, citron, tomate, tamarin est incontournable dans un repas du Sud. Il se prend seul ou avec du riz blanc et souvent en fin de repas — personnellement nous le préférons au début ou au milieu. Le *rasam* a de fortes propriétés digestives et toniques. Comme nous disions, c'est un peu "l'âme du Sud".

Rasam de tomates

➤ 1/2 tasse de toor (toovar) dhâl ou moong dhâl

➤ 4 tomates coupées en dés

➤ 1 pincée de curcuma

➤ 1 morceau de tamarin (grosseur d'un citron vert)

➤ 1 piment vert

➤ 1 c. à café de graines de moutarde

➤ quelques feuilles de curry

➤ 1 petit bouquet de feuilles de coriandre

➤ 1 pincée d'asafoetida, sel

☞ Faire un jus avec le tamarin.

☞ Laver et faire tremper le dhâl dans 3 tasses d'eau pendant 1 heure, puis le mettre à cuire avec le sel, le curcuma dans cette même eau.

☞ Lorsque le dhâl est cuit, le passer au mixeur. Y ajouter deux tasses d'eau, puis les tomates, le piment vert, les feuilles de curry et les feuilles de coriandre hachées. Cuire doucement jusqu'à ce que les tomates soient bien cuites. Y verser le jus de tamarin et finir la cuisson. Oter du feu. Réserver.

☞ Faire revenir dans un peu d'huile l'asafoetida, le cumin et les graines de moutarde. Verser sur le rasam et servir très chaud.

Remarque : le *rasam*, quel qu'il soit, a une action puissante et rapide sur l'organisme et, dirai-je aussi sur le mental. Il chasse les tensions, les agitations, les fatigues : c'est un peu le M. Propre des consommés ! Si l'on peut prendre cette image. Là encore, pour connaître les effets et la saveur du *rasam* ("saveur" ou rasa), point n'est besoin d'en parler : goûtons le !
Notons que le moong dhâl est bénéfique pour vâta et pitta, moins pour kapha. Le toor dhâl (sorte de pois cassés jaunes) l'est pour vâta et kapha, moins pour pitta car plus lourd et échauffant.

Râmana Mahârshi : du monde mais non de ce monde[1]

"Saint Kaduveli Siddhar était un célèbre et austère ascète. Il vivait de feuilles mortes tombant des arbres. Le roi de cette région promis une forte récompense à qui prouverait la valeur du saint. Une riche et belle dâsî (*danseuse de temple*) accepta.

Elle commença de vivre non loin de l'ascète, prétextant de l'aider dans le guru-seva (*service au guru*). Elle dissimula à son insu quelques morceaux de galettes de pappadam. Il ne s'aperçut de rien. Par la suite, elle mélangea peu à peu quelques délicieuses nourritures afin de s'attacher l'ascète. Avec le temps ils devinrent intimes et elle mit au monde un enfant. Alors, en secret elle en informa le roi.

Le roi voulu prouver publiquement leur relation et, avec l'accord de la dâsî décida d'un plan. Il annonça de par tout le royaume que la dâsî danserait en public. Celle-ci confia l'enfant à son époux et se prépara pour le spectacle.

Comme la danse était à son apogée, l'enfant commença de pleurer et d'appeler sa mère. Le père prit l'enfant dans ses bras et se rendit au spectacle. La dâsî le vit dans la foule. Elle s'arrangea alors pour que l'un de ses payâls, de ses bracelets de cheville se défasse. Puis s'approchant de son époux, elle lui tendit gracieusement sa cheville. Le saint referma le bracelet. Alors la foule se mit à rire et à siffler, mais le saint resta indifférent aux sarcasmes, serein et calme. Afin de prouver sa sainteté, il chanta cet hymne tamoul :

> "Pour victoire, que passe ma colère !
> Je libère ainsi mon esprit,
> S'il est vrai que je dors nuit et jour
> Mais conscient du Soi,
> Puisse se briser cette statue de pierre
> Et se fondre dans l'infini !"

Et la statue de pierre se brisa dans un grand fracas. La foule en resta muette de stupeur. Ainsi Kaduveli prouva à tous sa valeur et que sa réalisation du Soi ne pouvait être mise en doute malgré les apparences."

(*Commentaire de l'âshram*) Et le Mahârshi termina en citant le verset 181 du Vedântachudamani, déclarant que le jnâni, le libéré est au-delà de toute dualité, pur comme l'éther même s'il est obscurci parfois par des nuages amenés par le vent.

La morale de l'histoire se passe de longs commentaires : les jugements et les comparaisons ressortent de la dualité, du mental — si brillant soit-il. Ils sont aussi **éphémères** et friables que ces fines galettes de *pappadam* dont parle le Mahârshi.

En voici la semi-recette : car ces fines galettes croustillantes, fines et légères comme du papier de soie, sont assez faciles à préparer. C'est pourquoi on les trouve toutes faites dans les épiceries indiennes. Il y a différents *pappadam*, au cumin, à l'ail, au poivre faits à partir de farine d'urad dhâl. Populaires au Penjâb, au Gujarât, dans le Sud de l'Inde.

La friture dans laquelle ils doivent être immergés pendant quelques secondes, doit être bouillante, comme… le feu de la discrimination. On peut aussi les rotir rapidement — comme les galettes de chappati — au-dessus d'une flamme douce en les retournant fréquemment.

Note 1. *Du monde mais non de ce monde* : C'est en fait toute la différence entre "l'individu" et "l'être humain". L'un est une entité fermée, individualiste et duel, l'autre est ouverte sur le monde. "Fondus mais non confondus" disait Maître Ekhart. En écho Krishnamurti répond : "Nous sommes tous différents, mais non séparés." (K. *La Révolution du réel*) et aussi : "L'individu est le monde, il est à la fois la racine et le fruit du processus total et, sans transformation de l'individu, il ne peut y avoir aucune transformation radicale dans le monde." (K. *De la Connaissance de soi*, Bombay, 1948)

Il est intéressant de comparer avec ces paroles du sage Vasishtha à Râma dans le Yoga-Vâsishtha (vers le VIe siècle) chap. 26, Section VIa : "Je me réjouis avec les bienheureux et partage l'affliction des affligés, car je suis l'ami de tous. Je n'appartiens à personne et personne ne m'appartient. *Je suis le monde*, ses oeuvres et son intelligence. Ceci est le secret de mon immortalité." Et aussi la célèbre injonction du maître au disciple : "Va et agis en te jouant dans le monde !" (accomplis ce qui doit l'être, mais reste serein quels que soient les résultats de l'action).

C'est l'illustration du "You are the world" dont je parlais dans deux livres précédents : *Krishnamurti et la Sagesse de la nature* (Éd. Trédaniel) et *Le Yoga-Vâsishtha* ou l'expérience de la non-dualité (Éd. l'Originel-Accarias).

Bien entendu Râmana Mahârshi se référait souvent à grand et beau texte de l'advaita qu'est le Yoga-Vâsishtha. Il reprend dans cette histoire le thème de la liberté dans l'action, développé aussi dans la Gîtâ tout au long du Chant. C'est un thème moderne, qui nous concerne tous et toutes. **À méditer**…

Les préparations au yaourt sont populaires dans toute l'Inde. Le mot "*raita*" - salade au yaourt — vient de *rai*, graines de moutarde qui rentrent dans sa composition avec d'autres épices. Des légumes crus ou cuits, hachés, sont ajoutés au yaourt nature, bien battu et mélangés à des épices et des herbes fraîches finement hachées. La *raita*, comme sa variante du Sud le *pachadi*, accompagne le plat principal qu'elle rafraîchit ou adoucit. Parfois la *raita* est chargée d'apaiser le "feu" de certaines épices, c'est-à-dire du piment vert ou rouge.

La *raita* est plus ou moins liquide. L'important est un yaourt, si possible "home-made", sinon bio ou de très bonne qualité. En âshram nous le servons avec le riz qu'il accompagne. Il y a des *raitas* au concombre, aux aubergines, chou-vert, haricots verts, coriandre, tomates et oignons, et bien d'autres. C'est un plat sattvique et convient bien l'été, accompagné de galettes fines de pappadam. Notons que le concombre diminue vâta et pitta, mais moins kapha. Au contraire, les graines de moutarde sont bonnes pour vâta et kapha, moins pour kapha si déjà aggravé.

Raita aux concombres

> ➤ 100 g de concombres pelés et râpés
> ➤ 100 g de yaourt nature battu
> ➤ un morceau de gingembre frais émincé ou en poudre
> ➤ 1 petite tomate ferme coupée en dés
> ➤ 1 c. à soupe de noix de coco râpée
> ➤ 1 c. à café de graines de moutarde
> ➤ 1 c. à café de sucre
> ➤ 1 pincée d'asafoetida
> ➤ quelques feuilles de coriandre, persil ou de menthe fraîche
> ➤ huile, sel, poivre

☞ Bien mélanger le yaourt avec le concombre, gingembre, tomate, sucre et sel.

☞ Dans un peu d'huile, faire chauffer les graines de moutarde avec l'asafoetida. Puis verser le tout sur le yaourt.

☞ Servir frais. Parsemer de noix de coco râpée et de feuilles de coriandre ou de menthe fraîche.

＋→ ⊷✦⊷ ←＋

Ce simple et sain *kosumali* ou sauté de légumes, est proche des *porial* et *aviyal* du Kérala et du Tamil Nâdu — avec la différence qu'il n'y a pas de noix de coco dans les *kosumali*. La cuisson est rapide afin de garder toutes les vitamines et fraîcheur des légumes — trop cuits ils prendront une nature tamasique. Ce sauté de légumes, comme le *porial*, est servi à l'âshram Srî Râmakrishna de Ooty avec un riz blanc et un *sambhar* (parfois relevé selon le cuisinier) et un *payasam* pour finir en "douceur".

Notons que les tridosha sont équilibrés avec le chou-vert et les graines de moutarde; que les carottes réduisent les excès de pitta et vâta, le curcuma pitta et kapha, la coriandre pitta et le citron vert vâta et kapha. C'est donc un plat de nature sattvique et équilibré.

Carottes kosumali, Spécialité de Mangalore

➤ 2 carottes moyennes
➤ 1 petit morceau de chou vert
➤ 1 c. à café de graines de moutarde
➤ 1 pincée de curcuma
➤ 1 poignée de feuilles de coriandre
➤ jus 1/2 citron vert
➤ 1 pincée de piment rouge, sel

☞ Râper les carottes et couper le chou vert en fines lamelles.

☞ Faire chauffer l'huile et sauter les graines de moutarde. Ajouter le curcuma et le piment.

☞ Mettre les légumes et le sel dans la poêle. Bien mélanger et terminer la cuisson en décorant de feuilles de coriandre.

＋→ ⊷✦⊷ ←＋

Le *kitcheree* est le plat bengâlî par excellence. Sâradâ Devî, l'épouse de srî Râmakrishna et mère de l'âshram, préparait elle-même le *kitcherree* pour tous ses "enfants" comme elle appelait les disciples du maître et les jeunes novices brahmachâri. À l'âshram de Mâ Ânanda Moyî, le *kitcheree* est aussi servi, mais plus simplement, sans ail et céleri (échauffants), peu ou pas de ghî (coûteux) et moins d'épices.

C'est un plat de base, très nourrissant riz + lentilles (les lentilles réduisent pitta) et sattvique. On peut le servir avec des chutney de tomates et de coriandre, ou une sauce au yaourt genre *moor* ou *pacchadi*.

Kitcheree du Bengâle

> 150 g. de riz basmâti ou thaïlandais parfumé
> 100 g de lentilles de soja vertes
> 1 c. à café de garam mâsalâ
> 1 oignon haché
> 1 gousse d'ail écrasée
> 2 c. à soupe de ghî
> 1 branche de céleri haché
> 1 pincée de curcuma
> 1 piment vert
> 1 c. à café de graines de cumin
> 1 tasse de feuilles de coriandre hachées

☞ La veille, faire tremper les lentilles dans une cocotte.

☞ Dans une poêle épaisse, faire chauffer doucement le ghî, puis ajouter les oignons, l'ail et le céleri haché pendant 5 minutes, puis ajouter le garam mâsalâ, le curcuma, le piment vert, le cumin et coriandre. Bien mélanger et cuire une minute à feu modéré.

☞ Puis ajouter les lentilles et le riz. Mélanger jusqu'à ce que le riz soit doré.

☞ Ajouter aussi quelques légumes comme la courge et des carottes finement coupées (facultatif). Couvrir et finir la cuisson du riz et des lentilles. Servir très chaud.

Remarque : les lentilles de soja réduisent pitta, mais peuvent accroître vâta et kapha. Le céleri réduit pitta et kapha, mais aggrave vâta.
Le *curd rice* du Sud de l'Inde est souvent donné en nourriture d'âshram et lors de célébrations religieuses. C'est un plat particulièrement sain et sattvique, léger et frais.
Notons que les graines de moutarde équilibrent les tridosha, et que le ghî est on ne peut plus pur et sattvique, mais à prendre avec modération, surtout pour kapha.

Riz au yaourt

- ➢ 250 g. de riz cuit
- ➢ 4 yaourts nature battus
- ➢ 1 petite tasse de lait frais
- ➢ environ 30 mg de gingembre frais émincé
- ➢ quelques feuilles de curry patta
- ➢ 1/2 c. à café de graines de moutarde
- ➢ 2 piments verts hachés
- ➢ ghî de préférence ou un peu d'huile
- ➢ sel, 1 pincée de piment rouge (facultatif)

☞ Mélanger les yaourts et le lait et bien battre. Ajouter au riz cuit et refroidi.

☞ Faire chauffer doucement 4 à 5 cuillères à soupe de ghî et faire sauter les graines de moutarde. Ajouter ensuite le gingembre, les curry patta, le sel et le piment rouge. Lorsque le gingembre devient tendre, ajouter le tout au riz et servir froid. Convient bien l'été.

Un thé keemun de Chine, doux, léger, aromatique et légèrement sucré, accompagnera ou terminera ce riz, ou un thé du Yunnan, à la saveur très développée. Sinon, un thé vert de Chine, de Ceylan, ou un thé rare, comme le thé vert Sukna de Darjeeling, au goût délicat, d'une grande finesse.

Bhartrihari : "toi et moi"
Satakas, Cent stances :

III.27
(2,9)

Dans le passé nous avions décidé
Que tu étais moi et que j'étais toi
Maintenant que s'est-il passé pour nous deux,
Que tu es toi et je suis moi ?

><+>-O-<+><

Avec Kâlidâs, Bhartrihari (VIIe siècle) est l'un des grands poètes sanskrit du kâvya. Ce fut à la fois un prince, un grammairien, un philosophe et un amoureux. Ses poèmes expriment sa propre expérience et ses vues sur la vie — dans tous les domaines. Le ton est lucide, vif et moderne, rempli d'humour, et toujours sans concession.

Deux amoureux se sont jurés au premier jour un amour éternel, et puis le temps a dû faire son œuvre à en croire le poète, car de l'unité, ils sont passés à la dualité. On peut aussi le voir à un autre niveau : celui du dévot parlant au Bien-aimé, à Dieu. Si le regard de Bhartrihari est lucide, il reste un arrière goût d'amertume dans cette dualité (je le perçois ainsi) — de là cette recette qui marie **deux saveurs opposées** : la douceur (aubergine, sucre) et l'amertume (épinard, sésame). Les deux rasa, les deux saveurs, comme celles de la vie sont complémentaires ; de même le bonheur et la peine, l'unité et la dualité. Mais "qui" est unifié-conflictuel ? **À méditer.**

Aubergines Bengâli aux épinards

- ➤ 300 g d'épinards
- ➤ 1 grosse aubergine, pelée et coupée en dés
- ➤ 2 cuillères à soupe de sucre
- ➤ huile de sésame ou de tournesol, sel

☞ Laver et hacher les épinards en petits morceaux.

☞ Faire chauffer l'huile et frire en premier l'aubergine durant 15 minutes. Puis ajouter les épinards. Couvrir après avoir ajouté le sucre et le sel. Finir la cuisson à feu doux sans ajouter d'eau.

☞ Lorsque les légumes sont bien cuits, écrasez-les bien. Servez chaud.

Remarque : l'aubergine prise en excès accroît vâta et pitta, mais réduit kapha.

Svâmî Râmdâs : qu'est-ce que le samâdhi ?

Le Seigneur Shiva, vous le savez, est avant tout un yogî, un grand ascète, et qui laisse souvent seule son épouse Pârvatî. Un jour où il devait s'absenter, Pârvatî lui demanda de lui enseigner à méditer afin d'accéder à l'état suprême de samâdhi et d'être ainsi unie à lui à jamais, même en cas de séparation physique. Alors Shiva lui dit de s'asseoir en position du lotus, de fermer les yeux, de tourner son regard et son attention vers l'intérieur, puis de laisser la méditation s'installer en elle et "couler comme un filet d'huile, sans bruit ni interruption".

Quand Pârvatî fut stable en son mental, Shiva demanda :

—Maintenant, que vois-tu ?
—Seigneur, je vois ta forme.
—Bien, va au-delà de cette forme. Que vois-tu maintenant ?
—Je vois une lumière brillante.
—Va toujours au-delà de cette lumière. Que vois-tu ?
—Je perçois le son OM.
—Transcende-le. Que perçois-tu ?

Shiva ne reçut aucune réponse. Pârvatî, la fille de l'Himâlaya, était devenue une avec le Soi cosmique, l'âtmâ. Maintenant il n'y avait plus pour elle ni sujet ni objet, ni voyant ni vu, ni entendant ni entendu. Toutes ses perceptions, tout ce qui recouvrait le Soi (adhyâropana) s'était résorbé en une seule Réalité, une seule et unique existence. Seul resplendissait le Brahman non-duel, sans changement, sans nom et sans forme. Maintenant Pârvatî ne faisait qu'une avec son divin époux Shiva. Etablie dans l'état suprême du nirvikalpa-samâdhi.

Quand Pârvatî revint graduellement à la conscience duelle du corps, elle murmura doucement : *aham brahma âsmi*, je suis Brahman. Cette histoire illustre le processus de non-identification et de la méditation profonde (dhyâna), précédant le samâdhi et menant à la réalisation suprême.

><+>+O+<+<

Cette histoire sur la non-dualité, est dans la riche tradition de certaines upanishad et purâna. L'Absolu est réalisé quand toutes les identifications (adhyâropana) par rapport aux cinq kosha tombent les uns après les autres, et que seul resplendit le Soi : la Vie pour certains, la Plénitude pour d'autres. De Lui on ne peut dire.

Cette simple recette du *pickle* d'oignon est riche d'enseignement : pelez un bel oignon, puis enlevez soigneusement chaque couche l'une après l'autre. En fin, que reste-t-il ? Tout… et rien ! **À méditer**.

Pickle de petits oignons

- ➤ 1 kg de petits oignons
- ➤ 250 g de sucre roux
- ➤ 200 g de sel gris marin
- ➤ 1 verre de bon vinaigre blanc
- ➤ 1 grosse pincée de poudre de piment rouge
- ➤ 1 c. à café de garam mâsalâ

☞ Laver et peler les oignons (il n'est pas nécessaire d'être assis en lotus, les yeux mi-clos, tout en chantant le OM et en pelant les oignons !). Les enduire de sel (de la connaissance et de la discrimination) et les laisser (méditer) dans un pot en terre deux jours, si possible au soleil (cela augmente la valeur des tapas).

☞ Dans une casserole en fonte à fond épais, amener doucement le vinaigre à ébullition avec le sucre et le piment rouge (de la force de la méditation). Y ajouter les oignons et faire bouillir 10 minutes (l'égo a disparu !). Faire refroidir pour les mettre en bocal. Remuer tous les deux jours (afin de bien stabiliser le samâdhi).

☞ Attendre une semaine avant de consommer.[1]

Remarque : l'oignon (cuit) est bon pour vâta et pitta ; cru et cuit pour kapha, cru moins pour pitta. D'une manière générale le *pickle* est bon pour vâta, moins pour pitta et kapha.

---

1. Que le lecteur pardonne ces apartés et métaphores. Disons que j'ai plagié le style du Tibétain Milarepa, quand il illustrait son exposé du dharma par des images puisées dans le quotidien et qui, à première vue, semblaient n'avoir aucun rapport avec le fond de l'enseignement.

Dharma—Sûtras
Baudhâyana, 2.10,18

Règles de l'ascète

Les voeux suivants doivent être observés par l'ascète :

S'abstenir de tout mal envers les êtres vivants, être véridique en tout, ne rien prendre ce qui appartient à d'autres, chasteté, propreté et pureté en mangeant.

Avec compassion il donnera une portion de sa propre nourriture, et purifiant ce qui restera de quelques gouttes d'eau, il mangera avec respect et reconnaissance comme un don de Dieu.

Il mangera cette nourriture donnée sans rien demander, sans que rien ne fut arrangé auparavant et qu'il reçut naturellement, en juste quantité pour le simple maintien de son corps en vie. De ces versets l'ascétique se souviendra :

> "Huit bouchées font le repas de l'ascète,
> Seize celles d'un ermite dans les bois,
> Trente-deux celles d'un chef de famille,
> Et une quantité illimitée pour un étudiant."

Les anciens dharma-sûtras rédigés vers le VIe au IIIe siècle avant J.-C., font partie des grands textes védiques de la smriti ou Tradition, "ce dont on se souvient". Ce sont des traités à caractère éthique et religieux.

Là aussi, il est évident que la nourriture tient un rôle relativement important — même si l'ascète en est détaché. Sa nourriture sera légère, mais substantielle car, en principe, il ne fait qu'un repas par jour, non épicé, sans ail ni oignon et bien entendu végétarien. Pour illustrer sa nature sattvique, voici la simple et pure recette du riz au ghî.

Riz au ghî (Sud)

➤ 250 g de riz cuit
➤ 2 c. à soupe de graines de sésame
➤ 1 pincée de piment rouge
➤ 1 pincée d'asafoetida
➤ 5 grains de poivre
➤ quelques feuilles de curry ou de laurier
➤ 1 c. à soupe de jus de citron vert
➤ 50 g de noix de cajou (dorées au ghî)
➤ 1 grosse cuillère à soupe de ghî

☞ Dans une petite poêle faire dorer du ghî, le sésame, l'asafoetida, les grains de poivre et le piment rouge. Puis en faire une poudre au mixeur. Réserver.

☞ Dans le reste du ghî faire sauter les feuilles de curry, le riz avec le sel, les épices moulues et le jus de citron. Bien mélanger et servir, décorer de noix de cajou.

Un thé léger au jasmin pourra accompagner ou terminer ce riz au ghî, aussi, un thé vert de Ceylan, ou encore un thé de Darjeeling de la Teesta valley (T.G.F.O.P.).

Remarque : le *ghî* est bon pour les tridosha, de toute manière il est à prendre avec modération, surtout pour kapha.

Pommes de terre batatetchi

- 250 g de pommes de terre (bouillies, pelées et coupées en dés)
- 1 c. à café de graines de cumin
- 1 pincée d'asafoetida
- 1 pincée de piment rouge
- 1 piment vert émincé
- 1 morceau de gingembre émincé
- 1 c. à café de cumin en poudre
- 1 c. à soupe de coriandre en poudre
- 1/2 c. à café de garam mâsalâ
- 1 tasse de noix de coco séchée
- quelques feuilles de coriandre, sel

☞ Faire chauffer l'huile et faire sauter l'asafoetida, le cumin, le gingembre et le piment.

☞ Ajouter les pommes de terre et les faire dorer. Parsemer de piment rouge avec le sel et le reste des épices. Bien mélanger et servir en décorant de noix de coco et de feuilles de coriandre.

Remarque : la pomme de terre convient à pitta et kapha, moins à vâta.

Ce plat particulièrement chaud et relevé, s'accompagne bien d'une *raïta* ou d'un *moor* au yaourt, d'une chutney de menthe ou de mangue douce. Comme boisson, un *lassi* sucré ou salé, ou encore un thé de Ceylan, du Népal, du Sikkim ou des Nilgiris — ces trois derniers thés sont délicieux, peu connus (par rapport au Darjeeling dont ils sont similaires) et peu coûteux.

Lentilles moong dhâl aux épices

- ➤ 300 g de moong dhâl (petits haricots jaunes verts à l'extérieur)
- ➤ 1/2 litre d'eau
- ➤ 1 pincée de curcuma
- ➤ 1 oignon, 2 gousses d'ail
- ➤ 1/2 c. à café de cumin en grains
- ➤ 1 c. à café de ghî, sel

☞ Dans un faitout faire bouillir les lentilles moong avec le sel, l'eau et le curcuma. Baisser le feu et laisser mijoter.

☞ Retirer du feu et passer au mixeur afin que le mélange ait la consistance d'une soupe épaisse.

☞ Faire revenir l'oignon, l'ail et le cumin en grains dans le ghî. Lorsque les oignons sont dorés, verser le ghî dans le dhâl et faites chauffer quelques minutes. Servir bien chaud avec un riz blanc.

Notons que les lentilles réduisent les excès de pitta, de même le curcuma avec pitta et kapha.

Dhâl sambhar du sud

- ➤ 1 tasse de toor dhâl (jaune pâle semblable au pois cassé)
- ➤ 1 gros oignon émincé
- ➤ 100 g de petits pois écossés
- ➤ 1 pincée de piment rouge
- ➤ 1 c. à soupe de graines de coriandre
- ➤ 5 grains de poivre
- ➤ 1 boule de tamarin de la grosseur d'un citron vert
- ➤ 1 pincée d'asafoetida
- ➤ 1 pincée de curcuma
- ➤ 1/2 c. à café de graines de moutarde, de cumin et de fenugrec
- ➤ quelques feuilles de curry, sel

☞ Faire bouillir les petits pois et faire un jus avec le tamarin. Dans une poêle sèche, faire griller piment, poivre, fenugrec, cumin, puis réduisez-les au mixeur en une poudre fine.

☞ Laver les lentilles toor (ou toovar) puis les faire tremper dans 4 tasses d'eau pendant 15 minutes. Les mettre à bouillir avec cette même eau en ajoutant du curcuma et le sel. Lorsque les lentilles sont cuites, ôter du feu et en faire une pulpe avec un mixeur à soupe.

☞ Faire frire les oignons dans de l'huile et y ajouter les épices en poudre. Faire frire rapidement, puis ajouter le dhâl, le jus de tamarin et les petits pois. Faire bouillir puis réduire le feu. Terminer la cuisson à feu doux 5 minutes. Oter du feu et réserver.

☞ Dans un peu d'huile, faire revenir les graines de moutarde et les feuilles de curry, ainsi que le piment rouge. Verser sur le *sambhar*.

Le *sambhar* est servi très chaud avec un riz nature et dans certains âshram du Sud avec un *pacchadi* ou une *raïta* de yaourt.
Un thé de Ceylan ou des Nilgiris convient bien avec ce plat.

➤·◆·○·◆·◄

Les *poorial* sont des sautés de légumes à la noix de coco. Ils sont servis dans certains âshram du Kérala et du Sud. Légers, nutritifs, frais et sattviques. Ils s'accompagnent d'un riz ou d'une raïta.

Chou vert en poorial

- ➤ 1 chou vert coupé finement
- ➤ 1 c. à café de graines de moutarde
- ➤ 1 pincée de piment rouge
- ➤ 1 pincée de curcuma
- ➤ quelques feuilles de curry (les curry patta se trouvent dans les épiceries indiennes et asiatiques)
- ➤ quelques feuilles de coriandre fraîche
- ➤ 1 tasse de noix de coco râpée

☞ Dans de l'huile (coco ou tournesol) faire sauter les graines de moutarde, le piment rouge, puis ajouter les feuilles de curry et le curcuma.

☞ Ajouter le chou vert dans la poêle. Couvrir et faire cuire à feu doux sans ajouter d'eau jusqu'à ce que le chou soit tendre.

☞ Servir garni de noix de coco râpée et des feuilles de coriandre.

Remarque : le chou vert convient aux tridosha. Les graines de moutarde sont bonnes pour vâta et kapha, moins pour pitta si aggravé.

>-I-<+>-O-<+>-I-<

Ce plat de *keema* de pommes de terre, se fait surtout dans le Mahârashtra et la région de Bombay. Il est aussi préparé dans certains âshram et servi avec une raïta de concombres et parfois avec une chutney de mangue ou de citron vert.

Keema de pommes de terre

➤ 250 g de pommes de terre pelées et râpées
➤ 1 c. à café de graines de cumin
➤ 2 piments verts émincés
➤ 1 pincée de sucre
➤ 1 yaourt nature battu
➤ 25 g de noix de cajou pilées
➤ quelques feuilles de coriandre fraîche, sel

☞ Faire chauffer le ghî et y jeter le cumin, puis ajouter les pommes de terre et le piment rouge pendant 10 minutes.

☞ Y ajouter très peu d'eau et finir la cuisson. Verser le yaourt et les noix de cajou. Cuire encore jusqu'à ce que la sauce épaississe. Servez en décorant de feuilles de coriandre.

Un thé mâsalâ accompagnera bien ce *keema*, mais aussi certains thés de Chine comme le délicieux thé du Yunnan ou encore un thé au jasmin ou au lotus.

>-I-<+>-O-<+>-I-<

Dans certains âshram du Sud, comme au *Râmanâshramam*, l'âshram de Râmana Mahârshi à Tiruvânamalaï, l'on sert des *idli* avec une chutney à la noix de coco et du café — car dans le Sud on boit autant de café que de thé.

L'*idli*, petites galettes à base de riz et de dhâl s'accompagne le plus souvent de sambar (dhâl liquide) ou de chutney à la noix de coco. C'est une spécialité du Tamil Nâdu et du Kérala.

Idli du sud

- ➤ 500 g de riz (boiled rice)
- ➤ 250 g de urad dhâl (petit haricot gris noir et jaune à l'intérieur)
- ➤ sel

☞ La veille faire tremper séparément le riz et le dhâl. Moudre le riz grossièrement et le dhâl finement. Mélanger ensuite les deux farine en ajoutant l'eau nécessaire pour en faire une pâte nappante. Saler et laisser reposer de 6 à 8 heures dans un endroit chaud. La préparation doit à peu près doubler de volume. Pour réduire le temps de repos, ajouter ? de cuillère à soupe de levure.

☞ Il existe des ustensiles spéciaux pour la préparation des idlis. On les trouve dans les épiceries indiennes tamoules. À la place, on peut utiliser un couscoussier pour les cuire à la vapeur.

☞ Mettre l'équivalent de 2 cuillères à soupe de pâte dans de petites tasses ou ramequins. Les couvrir d'une assiette et placer dessus un poids afin qu'ils cuisent sous pression durant 15 à 20 minutes.

Remarque : si l'urad dhâl convient bien à vâta, il l'est moins pour pitta et kapha.

Chutney à la noix de coco pour idli

➤ 1 noix de coco
➤ 4 piments verts
➤ 1 c. à café de tamarin
➤ 1 c. de graines de cumin
➤ 2 c. à café de coriandre moulue
➤ 1 c. à café de graines de moutarde
➤ 1 c. à café de ghî
➤ quelques feuilles de curry
➤ 1 c. à soupe de sel

☞ Moudre ensemble la noix de coco, piment vert, tamarin, cumin, coriandre et sel. Faire revenir les graines de moutarde et les feuilles de curry avec le ghî. Bien mélanger les deux préparations.

Dans le Sud le café est servi avec du lait. Voici deux variantes de café à la cannelle et à la cardamome.

Café à la cannelle

➤ 4 c. à soupe de café instantané
➤ 2 tasses d'eau chaude
➤ 2 tasses de lait
➤ 3 c. à soupe de lait
➤ 1/4 de c. à café de cannelle en poudre
➤ 1 blanc d'oeuf

☞ Bouillir le lait et l'eau ensemble. Dans un bol, faire fondre le café et le sucre dans 1 cuillère d'eau. Y ajouter le blanc d'œuf battu. Verser l'eau et le lait. Saupoudrer de cannelle avant de servir très chaud.

Café à la cardamome

- ➤ 2 tasses de lait
- ➤ 2 tasses d'eau
- ➤ 3 c. à soupe de sucre
- ➤ 2 c. à café de café
- ➤ 1/4 de c. à café de cardamome en poudre
- ➤ cosses de cardamome

☞ Bouillir ensemble le lait et l'eau avec les cosses de cardamome. Ajouter le sucre et le café. Laisser 10 minutes à feu très doux. Saupoudrer de cardamome en poudre et retirer du feu. Passer et servir très chaud.

Remarque : le café, pris avec modération, aggrave malgré tout les tridosha selon l'âyurveda. Moins le thé qui convient bien à vâta (chaud, épicé, avec du lait), à pitta (de même), mais moins à kapha (sauf le thé noir épicé).

Svâmî Râmdâs : l'attente du divin

(Râmdâs parlait toujours de lui à la troisième personne)

"Il y a plusieurs années, Râmdâs vivait dans une grotte au sommet d'une montagne, et il en redescendait pour ses ablutions dans un bassin. Non loin, se trouvait un dharmshâla (*auberge gratuite pour pèlerins*). Un jour, après son bain, Râmdâs se rendis à ce dharmashâla. Là il vit un groupe de sept à huit jeunes garçons venus de la ville pour pique-niquer. Un enfant d'un an ou deux était avec eux. Ils pensaient peut-être que ce serait amusant d'avoir cet enfant avec eux pour le pique-nique. Chacun jouait avec l'enfant, qui s'amusait bien et souriait, heureux.

"Mais au bout d'un moment l'enfant devint agité et nerveux. Il semblait chercher quelque chose, peut-être sa mère. Alors les garçons essayèrent bien de le distraire en lui donnant des friandises, des jouets et ainsi de suite. Il se calma un moment, puis du regard chercha autour de lui et commença d'appeler "Amma, amma !" (mère). Les jeunes gens ne savaient plus quoi faire, car ils ne pouvaient ramener rapidement l'enfant près de sa mère.

"Alors ils lui apportèrent de nouveaux jouets et encore plus de friandises, mais cela n'intéressait plus l'enfant, et il pleurait, appelant sans cesse sa mère. Puis il tomba face contre terre, frappant le sol des pieds et des mains, pleurant. Alors l'un des garçons le prit sur ses épaules et rentra en courant vers le ville pour le ramener à sa mère.

"Nous devons être comme cet enfant, sans sérieux attachement pour les "jeux" séduisants que le monde nous propose sans cesse, et ne trouver de joie véritable et durable qu'auprès de la Mère, du Divin. Le guru est celui qui nous conduit jusqu'à Lui, ou Il viendra à nous. Le garçon qui prit l'enfant sur ses épaules était semblable au guru. Si notre désir est intense comme celui de cet enfant, alors sa vision ne saurait tarder."

>–◆–○–◆–◄

Afin d'illustrer la **douceur** de cette nishtâ, de cette relation, nous avons choisi la recette du *kheer*, un dessert délicieux et sattvique , un gâteau de riz dont il y a des variantes dans le Nord et au Cachemire. Le *kheer* est servi dans certains âshram.

Kheer ou gâteau de riz à la cardamome

Remarque : le *kheer* est proche du *Phirni* cachemirien, proche du blanc-manger français.

- 80 g de riz brisé (pour gâteau de riz)
- 1 litre de lait frais
- 120 g de sucre roux en poudre ou de sucre blanc
- 50 g de raisins sultanas
- 25 g d'amandes blanches
- 25 g de pistaches
- 4 clous de girofle, un bâton de cannelle
- 4 cardamomes écrasées ou de noix de muscade
- quelques gouttes d'essence de kewra (extrait de cactus) ou de rose
- quelques feuilles d'argent (warak : dans les épiceries indiennes et asiatiques, de même pour le kewra)

☞ Bien laver le riz. Dans une casserole à fond épais, le faire mijoter dans le lait, à feu très doux durant environ 1 heure. Remuer souvent en l'écrasant avec le dos d'une cuillère en bois.

☞ Quand il a pris la consistance d'une crème épaisse (quand la bhakti est venue à maturité), y ajouter le sucre, la cannelle, les clous de girofle, la cardamome. Bien mélanger. Quand le mélange devient plus épais, ajouter les raisins, amandes et pistaches (non salées).

☞ Couvrir et cuire à feu doux environ 15 minutes. Ajouter l'essence de kewra ou de rose. Décorer de feuilles d'argent sur le dessus. Servir chaud ou froid.

Il convient bien avec un thé *kawa* cachemirien — thé vert, safran, amandes, cardamome, cannelle, sucre, clou de girofle, ou un thé au gingembre, au jasmin, goût Russe ou agrumes, ou encore un Earl Grey à la bergamote, sinon avec le roi des thés, un Darjeeling (T.G.F.O.P. : tipsy golden flowery orange pekoe). Notons qu'en âshram, vu le prix des épices le *kheer* est fait plus simplement, sans amandes, pistaches — remplacées par des noix de cajou. C'est en tout cas un dessert succulent.

Remarque : si le lait de vache convient bien à vâta et pitta, il l'est moins pour kapha et sera remplacé par du lait écrémé de chèvre.

>―┼◇>―○―<◇┼―<

Le *payasam* est un "sweet", originaire du Kérala, principalement de Palakkad et du Tamil Nâdu. Il y a bien une douzaine de *payasam* plus ou moins élaborés — selon les ressources de l'âshram, du temple. Divers céréales, fruits secs, sucre, lait de vache, de coco, rentrent dans la préparation du *payasam*.

Lors des festivals, célébrations des anniversaires de srî Râmakrishna, svâmî Vivekânanda et srî Sâradâ Devî à l'âshram de Ooty (Râmakrishna Mâth), le *payasam* est toujours servi en fin de prasâd ; un repas qui est donné à tous les fidèles et gens pauvres des environs à cette occasion. Ce prasâd nous donne l'occasion de mettre en pratique la devise de l'Ordre Vedantique Râmakrishna : servir Dieu en l'homme. C'est le sevâ.

Voici un exemple de *payasam* tel que nous le servons à Ooty.

Payasam

➤ 1/2 tasse de riz

➤ 5 tasses de lait frais

➤ 2 à 3 tasses de sucre roux

➤ 3 c. à soupe de ghî

➤ 1/2 de tasse de noix de cajou émincées

➤ 2 c. à soupe de raisins dorés

➤ 1/2 c. à café de poudre de cardamome (piler les graines)

➤ 1 pincée de safran dilué au préalable dans un peu de lait

☞ Faire bouillir deux tasses d'eau. Y ajouter le riz. Remuer, couvrir et laisser mijoter un quart d'heure jusqu'à ce que le riz soit tendre.

☞ Ajouter le lait. Bouillir une dizaine de minutes. Verser le sucre et bien mélanger. Puis faire chauffer le ghî dans une casserole. Y faire revenir les noix de cajou jusqu'à une belle couleur dorée. Retirer du ghî. Egoutter. Ajouter les noix au lait et au riz chaud.

☞ Dans le ghî chaud faire dorer les raisins jusqu'à ce qu'ils gonflent. Retirer. Egoutter et ajouter au lait. Bouillir 10 minutes. Puis retirer du feu et ajouter la cardamome et le safran (peu d'âshram en mettent vu le prix). Servir dans de petits raviers.

Ce *payasam* a la douceur de bhakti.

Dans un repas traditionnel de Sud, nous servons en premier une petite quantité de *payasam*, en signe de "bon appétit", puis, plus tard, après le troisième plat de riz et de rasam, juste avant celui du riz et du yaourt qui terminent le repas.

Un thé noir aux épices, au gingembre, accompagnera bien le *payasam*, sinon, un thé vert et aromatique du japon, comme le Fuji-Yama ou le Sencha.

La déesse Lakshmî.

Tamoules et Catherine Mandala lors du prasâda.

2 • Nourriture des dieux ou prasâd

pattram puspam phalam toyam
    yo me bhaktyâ prayacchati
tad aham bhaktyupahrtam
    asnâmi prayatâtmanah

Que l'on M'offre avec dévotion une feuille,
Une fleur, un fruit ou de l'eau,
J'accepte cette offrande faite avec amour,
Par une âme pure

BHAGAVAD-GÎTÂ, CHANT IX, VERSET 26.

Le symbole du *prasâd* ferait l'objet d'un livre. Avec lui, nous sommes au cœur même de la foi indienne et hindoue. *Prasâd*(a) a plusieurs sens. Il signifie, selon le contexte, "sérénité, clarté", aussi "grâce divine, miséricorde" et "nourriture consacrée".

Toute offrande de nourriture, naivedya ou bhoga (jouissance) faite à Dieu ou au guru, devient consacrée quand elle est redistribuée au donateur : elle devient *prasâd*, c'est-à-dire sacrée. C'est la notion hindoue du Divin incarné dans le matériel, la grâce divine.

Lors du rituel de pûjâ, le *prasâd* peut être un sweet, un fruit, une noix de coco, un légume ou un riz cuisiné, mais aussi des fleurs (jasmin, oeillet d'Inde, hibiscus), du camphre, de l'encens, un tissu, bref tout ce qui est sattvique et offert avec un cœur pur.

Le sens véritable du *prasâd*, c'est l'oubli et le don de soi — non seulement à Dieu mais, par extension, du divin en l'homme. Et quand tout est donné, l'on reçoit tout en retour. En ce sens, **tout dans la vie devient prasâd**, enseignement et grâce. D'instant en instant.

Mâ Ânanda Moyî.

Mâ Ânanda Moyî
(D'après Âtmânanda. Vrindâvana, 1954)

Rasa ou la saveur divine du ras-gula

"Une nuit à l'âshram de Vrindâvana, au cours d'un satsang animé, un bhakta de Mâ, un sannyâsî âgé et érudit qui, comme une règle, prenait toujours une part très active dans tous les arguments, ce sannyâsî s'assoupit profondément, ronflant en paix, oublieux de ce qui se passait autour de lui. Mâtâji l'appela plusieurs fois, mais en vain. L'assemblée s'amusait beaucoup. À ce moment, quelqu'un déposa un *rasgula* (une délicieuse friandise bengâlî) dans la bouche du sannyâsî endormi. Mais cela n'eut pas l'effet escompté, pas plus le rire qui s'en suivit. Par contre quand le doux sirop au *ras-gula* commença de couler dans sa gorge, il s'éveilla.

Comme cela se passe souvent, gracieuse Mâ prit comme prétexte ce jeu joyeux pour exprimer des vérités d'une profonde sagesse. Elle parla du rasa (nectar, saveur, essence). Elle dit : "Tant que le bhagavad-rasa, la saveur divine, ne se sera pas installé dans l'homme, tant que ce divin nectar n'aura pas coulé en lui, son âme endormie le restera".

>⊷•❍•⊶◄

Cette anecdote se passe de tout commentaire. Mettons-la en pratique et laissons couler le divin nectar du *ras-gula* (ou *rasa gulla*).

Ras-gula du Bengâle

- ➤ 1 litre de lait entier
- ➤ 1 gros et deux petits citrons verts
- ➤ 2 c. à soupe de semoule
- ➤ 4 graines de cardamome verte
- ➤ sucre

☞ Faire bouillir le lait puis y verser le jus de citron. Lorsqu'il commence à cailler, retirer du feu. Egoutter dans une mousseline. L'attacher et le pendre afin que le petit lait goutte pendant une nuit.

☞ Le lendemain, pétrir dans un bol le fromage et la semoule jusqu'à ce que la consistance soit lisse. C'est ce qui détermine la qualité du *ras-gula*. Ecosser la cardamome. Prendre une portion de fromage de la taille d'une grosse noix et la mouler en une boulette. Percer un petit orifice au centre et y glisser quelques graines de cardamome (cette recette pouvait s'appliquer à l'histoire du *Trésor caché* contée par Mâ). Refermer. Faire un sirop léger avec le sucre et un litre d'eau. Amener à ébullition. Y plonger la première boulette. Si celle-ci ne se brise pas, ajouter les autres et cuire doucement. Elles doivent doubler de volume et remonter à la surface du sirop.

Svâmî Râmdâs : Sûr–Dâs
et les liens de l'amour

Au XVe siècle, Sûr-Dâs fut un grand sage et un dévot de Krishna. Il était aveugle, de là son nom de *"sûr"*, aveugle. Il marchait toujours avec un bâton afin de s'aider, mais un jour, il s'égara et tomba dans un puits. Voyant cela, Krishna prit la forme d'un enfant de dix ans et aida Sûr-Dâs à sortir du puits. Il était sur le point de le quitter et de retirer sa main de celle de son dévot. Mais Sûr avait deviné l'intervention divine sous la forme de l'enfant. Il ne voulu pas le laisser partir et essaya de le retenir par la main. Krishna était trop habile pour être retenu ainsi, et il disparût en riant avec espièglerie. Alors Sûr-Dâs lui dit sur un ton de défiance amusée : "Krishna, tu penses être très malin ! Tu peux bien me quitter et t'éloigner physiquement de moi, mais en vérité je t'ai attrapé et lié à jamais à mon cœur avec les liens solides de l'amour. Il ne sera pas facile de te sauver maintenant !". Et Sûr-Dâs riait de bon cœur — tout comme Krishna — du bon tour qu'il avait joué à son compagnon de jeu.

＞━◆＞━○━◆＜━◁

Cette belle histoire illustre la bhakti et les liens d'amour qui unissent Dieu à son dévot. Sûr-Dâs (1478-1582) était aussi un grand poète, et comme Mîrâ-Bâï, ses chants à Krishna ont un accent de vérité qui ne trompent pas. Il a pris rang, tout de suite après Tulsî-Dâs parmi les écrivains de langue hindî et de tradition vishnouite. Son guru fut le grand saint et érudit Vallabhâcârya qui développa la doctrine dualiste shuddadvaita.

Ce prasâd, du *pañchamritam* illustre cette histoire, car il a lui aussi la pureté et la douceur de la bhakti de par ses ingrédients, sains comme la banane, les dattes (fruits de prasâd), le miel, les raisins, le beurre clarifié, et une épice comme la cardamome, bonne pour vâta et kapha.

Pañchamritam ou les Cinq nectars d'immortalité

Ce prasâd est le mets favori du Seigneur Murugan dont le temple se trouve dans le Sud, au sommet de la sainte montagne de Palani, non loin de Ooty. Le *pañchamritam* est non seulement délicieux et nourrissant, mais il a aussi l'incroyable propriété de se conserver 50 jours environ sans réfrigération — et Dieu sait si cette région est chaude en été ! Il peut être utilisé comme condiment ou comme plat principal.

➤ 7 belles bananes
➤ 1/4 de tasse de sucre cristallisé
➤ 3/4 de tasse de dattes coupées en tranches
➤ 9 cardamomes
➤ 5 tasses de sucre roux en morceaux
➤ 2 c. à soupe de raisins dorés
➤ 2 c. à soupe de miel pur (de pays, acacia, toutes fleurs)
➤ 2 c. à soupe de ghî (beurre fermier, de baratte)

☞ Peler et bien écraser les bananes. Briser le sucre de canne en petits morceaux et couper les dattes en lamelles fines.

☞ Enlever l'écorce des cardamomes et réduire les graines en poudre. Puis ajouter tous les ingrédients aux bananes écrasées.

☞ Bien mélanger et conserver dans un pot bien clos à l'abri de la lumière et de la chaleur. Servir dans de petits raviers ce mets tout de douceur comme le "rasa du bhakta pour son Seigneur."

Nous l'avons vu, la banane est bonne pour vâta, moins pour pitta et kapha si aggravés.

Mâ Ânanda Moyî : guru et disciple

(Au cours d'un satsang à Bénârès en mars 1949, sur les liens maître-disciple, une personne demanda à Mâ :)

—Mâ, quel est le rôle du guru et celui du disciple ?

—L'on dit, répondit Mâtâji, que la tâche du disciple est d'effacer l'ego (ashamkâra), afin qu'il devienne semblable à une page blanche. On raconte l'histoire de ce râja qui invita les meilleurs artistes pour peindre les fresques de son palais. Deux d'entre eux travaillaient dans la même salle, sur des murs opposés, afin que chacun puisse voir ce que faisait l'autre. Des pinceaux de l'un sortit une merveilleuse peinture qui suscita l'admiration de tous. L'autre artiste n'avait rien peint. Il avait simplement passé son temps à polir soigneusement le mur — il l'avait si bien poli que, lorsque le rideau fut relevé, la fresque de l'autre peintre s'y reflétait et apparaissait encore plus belle que l'original.

C'est le devoir du disciple de polir sans cesse l'ego, jusqu'à ce qu'il disparaisse.

—Mais alors, demanda la personne, la plus grosse partie du travail doit être faite par le disciple ?

—Non, répondit Mâtâji en souriant, car c'est le guru qui peint le tableau.

>―◆>―O―◆―<

Cette belle parabole contée par Mâ, est riche d'enseignement et se passe d'un long commentaire. Pour l'illustrer, voici une recette d'âshram et de prasâda le *Mattha*, une boisson sattvique à base de babeurre (yaourt aigre) et d'eau. Le babeurre issu du lait, symbolise ici le disciple et son ego (la fresque splendide) ; l'eau c'est le guru et sa neutralité (le mur lisse). Le **mélange des deux** donne une boisson unique : le *mattha*.

L'un n'a pas pris le pas sur l'autre. Le babeurre se reflète comme un clair miroir de la vacuité, dans la neutralité et la pureté originelle de l'eau — tout comme le mur soigneusement poli reflète, révèle la peinture de son compagnon, encore dans la dualité.

Cette parabole hindoue pourrait être aussi de tradition zen, taoïste, bouddhiste. Je la vois fort bien contée par Sa Sainteté le Dalaï Lama, avec un large sourire, les yeux pétillants de malice et de compassion.

Mattha ou babeurre épicé

➤ 1 tasse de babeurre ou de yaourt aigre ou de petit lait fermenté
➤ 8 tasses d'eau
➤ 1 jus de citron vert
➤ 1/2 piment vert frais haché menu
➤ 1 c. à café de sel
➤ quelques feuilles de menthe fraîche

☞ Bien mélanger le babeurre avec l'eau. Puis quand le premier s'est fondu dans le second, comme l'ego dans l'Un, ajouter le reste des ingrédients.

☞ Bien battre le tout, puis laisser reposer — comme les vrittis, les agitations du mental s'apaisent durant la méditation. Mettre au réfrigérateur. Servir bien frais.

Remarque : Cette boisson, prasâda, est idéale pour désaltérer l'été. Elle accompagne bien un riz au citron ou au ghî, ou encore un simple pullao de légumes.

Le babeurre indien est beaucoup plus liquide que celui que l'on trouve dans le commerce en Occident. Le *mattha* se rapproche plus d'un lait écrémé qui aurait le goût du beurre et du yaourt. Proche aussi du petit-lait fermenté marocain.

Si le babeurre est recommandé pour vâta, il l'est moins pour pitta et avec modération pour kapha.

Svâmî Râmdâs : une leçon riche d'enseignement

Dans un village vivait un couple. Le mari querellait souvent sa femme et il la menaçait sans cesse de quitter la maison pour devenir un renonçant, un sâdhu. Non loin du village, vivait un sâdhu dans une petite hutte. Il enseignait le dharma à ceux qui venaient à lui. Notre homme venait souvent voir le sâdhu et il aspirait à tout quitter pour le suivre. Son épouse était très malheureuse. Un jour durant l'absence de son mari, elle alla voir le sâdhu et l'informa du désir de sannyâsa (de renoncement) de son époux. Le sâdhu lui dit : "Quand ton mari te menacera de nouveau, dis-lui de s'en aller et qu'il fasse comme bon lui semble." Ce qu'elle fit à la prochaine dispute. N'attendant que cela, l'homme fit son baluchon et alla trouver le sâdhu. Il lui dit avoir coupé tous liens avec sa famille et le monde. Il voulait passer sa vie en guru-sevâ, à servir le guru. Comme l'heure du repas approchait, le sâdhu demanda à l'un de ses disciples d'apporter une quantité de feuilles de nîm (ces feuilles sont très amères), de les réduire en pâte et d'en faire des *laddhus* (sucreries bengâli). Ce que fit rapidement le disciple. Le mari apprenti-sâdhu regardait tout avec attention.

Entre temps, le sâdhu tint un discours sur l'efficacité des feuilles de nîm. Il dit que pour garder une bonne santé et observer les voeux de chasteté du brahmâcârya, les feuille de nîm étaient nécessaires ; aussi il avait décidé qu'à l'avenir on ne mangerait plus que des *laddhus* au nîm. Les *laddhus* furent donc servis à tous, et le plus gros fut donné à l'apprenti-sâdhu. Il ne put que le manger avec forces grimaces tant il était amer. De même au repas du soir et le lendemain matin. Avant le repas de midi, l'homme avait curieusement disparu. Il était revenu chez lui. Depuis, il était doux comme un mouton et plus jamais ne querella ni ne menaça sa femme de la quitter.

❯─◆─○─◆─❮

Cette histoire de Râmdâs montre que l'amertume et la douceur sont les **deux saveurs de la vie**. L'un ne va pas sans l'autre. De même la vie ascétique n'est pas que douceur. Elle demande de nombreux sacrifices : la douceur ne se goûte qu'à travers l'amertume ; la reddition de l'ego s'accomplit autant dans la joie de donner que dans la souffrance de perdre.

L'histoire parle de *laddhus*. Cette sucrerie, ce "sweet" est servi dans certains âshram et donné en prasâda.

Laddhu
Boules de semoule sucrée

➤ 2 tasses de semoule moyenne

➤ 3 tasses de sucre de canne en poudre

➤ 10 cardamomes en poudre

➤ 10 noix de cajou (émincées et frites)

➤ 20 raisins secs sultana

➤ 4 c. à café de ghî

☞ Faire dorer la semoule à feu doux en ajoutant 2 c. à café de ghî jusqu'à ce qu'elle prenne une belle couleur dorée. Réserver.

☞ Préparer un sirop avec du lait et du sucre. Y ajouter la semoule, deux c. à café de ghî, la cardamome, les noix de cajou (dorées avant dans un peu de ghî ainsi que les raisins) et raisins. Cuire à feu doux jusqu'à ce que le mélange épaississe.

☞ Mettre un peu de lait sur les paumes des mains (afin que la semoule n'attache pas) et faire les boules de *laddhus*. Laisser refroidir. Se conserve plusieurs jours dans un bocal.

Les *laddhus* peuvent se servir avec un bon thé mâsalâ ou encore un kawa, un thé cachemirien, et bien entendu avec un thé d'Assam (lait + sucre) ou un Darjeeling (T.G.F.O.P.). Notons que la semoule convient à pitta et kapha, moins à vâta si aggravé.

>⊶⊙⊷<

L'histoire de svâmî Râmdâs parle aussi de *nîm*. Une note sur cette toute première plante employée dans l'âyurveda, comme dans les familles du Sud de l'Inde. Son nom latin est *Cyperus Rotundus*, ou *Azadirachta indica* (l'arbre à fruits amers) ; son nom français est le lilas des Indes. On trouvera toutes les propriétés de cette plante miracle dans notre dernier livre le *Yoga des plantes* (Éd. Le Courrier du Livre).

Sur le plan âyurvédique, elle réduit d'une manière efficace pitta et kapha aggravés et accroît vâta. Elle agit sur le système digestif, circulatoire, respiratoire et urinaire. Particulièrement efficace contre la nervosité, les rhumatismes, l'obésité, les fièvres, les maladies de peau. C'est l'un des grands purifiants de l'âyurveda, aussi un grand préventif des maladies infectieuses. Très efficace pour les maux de têtes, migraines dues aux règles, inflammations du conduit utérin. En Inde, il est mis au point un contraceptif naturel à base de *nîm* et autres plantes. Les sâdhus l'utilisent régulièrement pour ses propriété anti-aphrodisiaques. Le *nîm* est très apaisant et assure un bon sommeil, sans effets secondaires.

Ce prasâd est particulièrement offert à Ganesha, symbole de sagesse et de discernement, et ensuite redistribué aux fidèles. Il se prépare surtout dans le Sud de l'Inde.

Modakam

> ➤ 1/4 de tasse de lentilles urad dhâl (lentilles noires)
> ➤ 1 piment vert
> ➤ 1/2 c. à café de piment rouge
> ➤ 1 pincée d'asafoetida et de sel
> ➤ 1/2 c. à café de graines de moutarde
> ➤ 4 c. à café d'huile légère
> ➤ 1/2 tasse de noix de coco râpée (sinon en poudre)

☞ Trier les lentilles et les passer sous l'eau. Laisser gonfler durant 2 heures. Egoutter.

☞ Passer au mixeur, avec peu d'eau, les lentilles, les piments, sel et asafoetida afin d'obtenir une pâte homogène. Pétrir cette pâte et lui donner la forme d'une petite galette plate. Puis cuire à la vapeur durant une vingtaine de minutes. Retirer les galettes de la marmite et laisser refroidir.

☞ Dans un peu d'huile, frire les graines de moutarde jusqu'à ce qu'elles soient craquantes. Les verser ensuite sur les galettes. Puis ajouter la noix de coco râpée et bien mélanger. Diviser en douze parts et leur donner la forme de petites boules, genre laddhus.

Voici un autre délicieux prasâd du Kérala, le *Unni appam* offert principalement à Ganesha : un petit *sweet* doux et sucré.

Unni appam

➢ 1 tasse de riz

➢ 1 tasse de bananes coupées en tranches (bananes bio si possible)

➢ 1 tasse de noix de coco fraîche et râpée (ou en poudre)

➢ 1 tasse de sucre roux

➢ 1/4 de c. à café de graines de cardamome réduites en poudre

➢ 4 c. à soupe de ghî ou de beurre fermier

☞ (Pour 4 tasses d'*unni appam*) Faire tremper le riz 1 heure. Egoutter et réduire au mixeur en une fine farine. Mélanger les bananes, le sucre, la noix de coco. Y ajouter la farine de riz et la cardamome. Bien mélanger jusqu'à une consistance de pâte à frire. Si besoin, ajouter un peu d'eau.

☞ Pour chaque tasse, remplir de 3/4 de ghî chauffé avant. Verser la pâte dans les tasses. La cuire jusqu'à une couleur dorée. Egoutter. Faire environ une douzaine de petits gâteaux ronds.

Riz pongal

Ce plat se prépare pour célébrer le Nouvel An tamoul, au jour dit du Makara sankranthi, le 15 janvier ou Pongal. Pongal donne lieu à quatre jours de fête et de célébrations religieuses, du 14 au 17 janvier avec le fameux Thiruvalluvar day. Le jour de Pongal est une fête de l'agriculture, des moissons, de la récolte du riz. L'on rend aussi hommage à la vache à qui l'on fait une pûjâ — offrande de fleurs, de santal, poudre rouge, etc.

Bien entendu, chaque famille a sa recette du *pongal rice* — nous les premiers ! Pongal est célébré aussi dans les temples du Sud. Ce plat préparé plus simplement, devient prasâda et servi dans certains âshram du Sud et de Ooty.

➢ 250 g de riz (dit "boiled-rice ou puni rice")

➢ 1 tasse de moong dhâl, lentilles jaunes de soja

➢ 1 c. à café de grains de poivre noir

➢ 1 c. à café de graines de cumin

➢ 1 petit morceau de gingembre frais émincé

➢ quelques feuilles de curry, sel

À faire frire dans un peu d'huile :

➤ 50 g de noix de cajou

➤ 25 g de raisins secs

(Les familles modestes ne mettent ni raisins, ni noix de cajou, ni cumin.)

☞ Faire chauffer le ghî et y ajouter le poivre et le cumin et les faire sauter. Puis ajouter les lentilles moong, les faire frire. Mettre le riz, le sel, les feuilles de curry et le gingembre ainsi qu'assez d'eau pour recouvrir le tout.

☞ Faire bouillir et mijoter jusqu'à ce que le riz soit bien tendre. Servir chaud et décorer de noix de cajou et de raisins.

On pourra accompagner le riz *Pongal* d'une raîta de yaourt et d'un bon thé mâsalâ.

Halwa de semoule

Le *halwa* est très populaire dans toute l'Inde, particulièrement au Penjâb et dans le Sud. Il y a des *halwa* d'amandes, de carottes, de noix de coco, de semoule. Le *halwa* est servi parfois en âshram et fin de repas. C'est aussi un prasâda dans certains temples. Un dessert délicieux, nutritif, surtout l'hiver, et qui fait l'unanimité auprès des enfants comme des adultes.

➤ 180 g de semoule moyenne ou fine (de préférence complète)

➤ 1/2 litre de lait

➤ 100 g de sucre roux

➤ 100 g de beurre ou de ghî

➤ 10 à 15 cardamomes vertes

➤ 30 g d'amandes effilées

➤ 30 g de raisins secs sultana

➤ 1 pincée de safran

➤ 1 c. à café de noix de muscade râpée

☞ Décortiquer et réduire en poudre les graines de cardamome.

☞ Dans une casserole à revêtement anti-adhésif, faire dorer légèrement avec le ghî la semoule à feu très doux, en mélangeant avec une cuillère en bois de préférence jusqu'à ce que la semoule (suji) soit bien dorée — "dorée comme le teint de Râdhâ".

☞ Faire gonfler les raisins dans un peu d'eau citronnée. Ajouter à la semoule les raisins, la poudre de cardamome, puis le sucre et les amandes. Toujours à feu doux, bien mélanger puis ajouter le lait avec le safran. Remuer jusqu'à ce que le mélange épaississe. Au préalable, le lait aura été versé chaud et lentement.

☞ Couvrir et laisser cuire pendant 1 ou 2 minutes. Augmenter ensuite la flamme, mélanger une dernière fois et poursuivre la cuisson encore 2 ou 3 minutes. Servir chaud ou froid dans de petits bols. Saupoudrer de noix de muscade.

Le *halwa* est particulièrement reconstituant. Il s'accompagne bien (préférence pour *halwa* chaud) d'un thé mâsalâ, d'un thé kewa cachemirien ou encore d'un Earl Grey pointes blanches de Chine, et bien entendu d'un Darjeeling (T.G.F.O.P.).

Remarque : si le *halwa* est bon pour vâta et pitta, il l'est moins pour kapha aggravé.

Scène de Harem. École de Nurpur (Kângrâ). Fin XVIIIᵉ siècle.
Musée de Chandigarh.

Râga Bhâshkar : sandhyâ, l'offrande au soleil.
(râga, mode musical joué ici au lever du soleil).
Illustre le Râgamâlâ, entre 1815-1820. École du Kângrâ.
National Museum. New Delhi.

3. Les trois sortes de nourriture selon la bhagavad-gîtâ

La Gîtâ, la "Bible" indienne sur laquelle repose la foi de tout Indien et hindou, nous donne une claire définition des guna et de la nourriture.

À la suite de la première partie sur les guna, explicités du point de vue de la dualité, donc du relatif ou lîlâ, voyons-les maintenant du point de vue de la non-dualité, de l'absolu ou nitya, c'est-à-dire du sage qui a transcendé leur emprise, qui n'est plus lié par l'action : c'est l'état de trigunâtîta, qui est "au-delà des guna", au-delà du jeu de la Nature, de prakriti.

Le jnânin, le sage n'est plus soumis au jeu de la passion, de l'ignorance, ni même de la pureté (autre aspect duel de l'impureté). Toute dualité a été consumée dans le brasier de la réalisation de l'Absolu, comme disait Dom Henri le Saux.

Il est intéressant de noter que, si Socrate et Platon opposaient l'esprit et la matière d'une manière duelle, pour l'hindou tous deux sont issus de l'Un, du Brahman (Brahman = prakriti = shakti = mâyâ = monde matériel du samsâra). "D'un infime fragment de Lui-même, l'Un manifeste le monde grossier de la forme". Le processus cosmique continue jusqu'à ce que l'origine de la cause, l'alpha, et la résorption finale, l'omega, coïncident.

Ainsi, dans cette transcendance, sattva est sublimé dans la lumière (jyoti) de la Conscience indivisée (sat-chit-ânanda), rajas dans l'austérité des tapas — dans le sens de contrôle de soi ou samyama — et tamas dans la paix de shânti.

><∘><⊶

GÎTÂ, CHANT XVII, LES TROIS SORTES DE NOURRITURE, VERSET 8 :

Sattva :   âyuh sattva balârogya
sukha prîti vivardhanâh
rasyâh snigdhâh stirâ hridyâ
âhârâh sâttvikapriyâh

Les aliments qui accroissent la vitalité, la force, la santé, la joie et le bien-être, qui sont doux, savoureux, substantiels et agréables, sont chers au sattvique, au pur.

Point de vue :

Une nourriture saine et équilibrée donne de l'appétit, donc du bien-être (prithi). La substantielle (sthirâ) donne sa vigueur (balâ) au corps comme à l'esprit, alors qu'une nourriture pauvre, mal équilibrée, ne fait qu'affaiblir, tant les fonctions d'assimilation que de digestion, que celles du *mind*, de l'esprit.

La nourriture sattvique doit être une aide, un moyen afin de développer une force, une stabilité saine et équilibrée — et non pas une fin en elle-même. En ce cas, des mets sattviques comme le lait frais, le beurre fermier, le ghî (beurre clarifié), le yaourt, le fromage frais, le paneer indien, le dhâl léger, le riz complet ou semi-complet, les légumes et fruits frais sont recherchés. La nourriture devient alors un allié précieux et non plus une entrave ou un antagoniste du corps et de l'esprit. De plus, l'être sattvique a un sens de l'ego, de la dualité peu développé.

La nourriture, l'annam passe ainsi du matériel au spirituel, mais sans dépendance, en toute connaissance de cause, "avec respect et humilité envers les plantes et épices utilisées", comme nous disions dans le *Yoga des plantes*.

VERSET 9 :

Rajas :
> katvamla lavanâtyusna
> tîksna rûksa vidâhinah
> âhârâ râjasasye'stâ
> dukkha sokâmaya pradâh

Les aliments qui sont amers, aigres, salés, très chauds, pimentés, astringents et échauffants, apportent la douleur, le chagrin et la maladie ; ils sont chers au rajasique, le passionné.

Point de vue :

Ce type de nourriture est apprécié par les êtres rajasiques, à l'activité et à l'ambition débordante. Ils sont passionnés, vigoureux, guidés par leurs désirs. Leur sens de l'ego est fortement développé.

Aussi, une nourriture riche, carnée, épicée, relevée, leur convient comme l'alcool — bref tout ce qui excite tant le corps, les sens que l'esprit. Une telle diète amène parfois de brillantes énergies, de spectaculaires réussites, mais à un certain niveau elles deviennent incontrôlables, mal dirigées. Elles conduisent peu à peu au déséquilibre, à l'insatisfaction, à la peine et à la maladie, dukha et âmaya.

Râga dîpaka, le chant de la flamme.
Illustre le râgamâlâ (ce râga passionné est joué l'été).
École du Kângrâ, entre 1815-1820.
National Museum. New Delhi.

VERSET 10 :

Tamas : yâtayâmam gatarasam
pûti paryusitam ca yat
ucchistam api câ 'medhyam
bhojanam tâmasapriyam

Les aliments qui sont gâtés, fades, de mauvaise odeur, fermentés, faits de restes et impurs ; ceux-là plaisent au tamasique, à l'obscur.

Point de vue :

Les familles indiennes orthodoxes que nous connaissons appliquent ces notions védiques à la lettre : une nourriture cuite trop longtemps à l'avance avant d'être consommée, c'est-à-dire plus d'un yama, de trois heures, est dite "froide" ou impure (amedhyam). Ainsi, lors d'une invitation, les plats ne sont quasiment préparés et cuits qu'en arrivant...

Alors, sans rajouter de l'eau au moulin des polémiques, que dire toutefois des conserves, des *fast-food*, de la *junk-food*, du surgelé, des restes "recyclés" *ad infinitum* ?

Ces aliments, comme les boissons fortes et fermentées (paryushitam) sont aimés des tamasiques, ainsi que ceux à l'odeur forte (pûti) comme certaines viandes faisandées, fumées, des fromages trop faits comme le roquefort, le bleu d'Auvergne, certains crustacés comme les crevettes, les huîtres, un (délicieux) dessert comme le pudding anglais (qui mûri parfois un an).

Les restes (ucchishtam) re-réchauffés, re-réadaptés répandent peu à peu l'infection et la maladie. Une telle nourriture n'amène que lourdeur et inertie (du corps et de l'esprit), obscurité et mauvaise discrimination. C'est l'état le plus bas.

Tout cela est facilement vérifiable : essayons une nourriture sattvique un jour, puis une rajasique un autre jour et une tamasique le surlendemain, et voyons le résultat. Ou encore essayons l'une et l'autre durant une semaine entière et jugeons, en tout objectivité. Après, c'est une question de choix et de bon sens.

Râja fumant le hokka.
École du Basohli (Jammu), 1720-1725.
Musée du Penjab, New Delhi.

Sattva

Svâmî Râmdâs : la compassion du Bouddha

À travers sa réalisation du nirvâna, Bouddha, l'Eveillé, est l'exemple même de l'amour et de la compassion envers tous les êtres, bons ou mauvais.

Au cours de ses déplacements en Inde pour répandre le message du dharma, le Bouddha arriva en un lieu où vivait un homme qui n'aimait ni son style de vie ni son enseignement. Aussi, il vint à lui et commença de l'insulter. Calmement le Bouddha lui dit : "Ami ! Je ne suis pas affecté par tes paroles. Suppose que tu offres un fruit à quelqu'un et qu'il le refuse, où va-t-il ?" La question était simple et l'homme répondit sans hésiter : "Bien entendu, il me revient !" "Ami", dit de nouveau le Bouddha, "Je peux te dire que tes paroles n'ont pas été acceptées et te reviennent comme ce fruit."

En un instant l'homme réalisa son erreur. Il tomba aux pieds du Bouddha et implora son pardon. Le Divin réside dans le cœur de celui qui est tout de compassion, de pardon et de paix.

Cette histoire bouddhiste illustre l'éveil et la liberté. Liberté dans la non-dualité et l'absence d'ego. Le Bouddha est semblable à un clair miroir placé devant nous. Il nous renvoie à notre propre image. "Lui" n'est plus. Il nous renvoie à la vacuité ou à la plénitude selon l'approche.

L'histoire parle de fruit. La **mangue** est le fruit sacré par excellence ; de là cette recette sattvique à base de mangue. Notons que la mangue, la cardamome réduisent vâta, que le yaourt, la mangue, la noix de coco et le sucre réduisent pitta. Cette raïta de mangue est un dessert qui peut se faire avec d'autres fruits, comme la banane, kiwi, fraises, pêches.

Amba raïta, salade de mangue au yaourt

- ➤ 3 belles mangues
- ➤ 1/2 citron vert
- ➤ 300 ml de yaourt nature
- ➤ 6 cardamomes
- ➤ 50 g de noix de coco râpée ou en poudre
- ➤ quelques feuilles de menthe fraîche

☞ Peler les mangues et les couper en quartiers de 1 cm.

☞ Ajouter le jus de citron et bien mélanger avec le yaourt dans un bol. Saupoudrer de noix de coco et de cardamome en poudre. Parsemer de feuilles de menthe (facultatif). Garder au frais 1 heure avant de servir. C'est un dessert on ne peut plus sattvique. Il termine un repas particulièrement relevé.

Remarque : la mangue est bonne pour vâta et pitta, pour kapha à prendre avec modération. La menthe fraîche convient aux tridosha.

Sattva

Patañjali : Yoga–Sûtras (vers 300 av. J.–C.)
Aphorismes (sanskrit)
Chapitre 1. la concentration

33. La pacification du mental :
L'amitié, la compassion, l'équanimité, le détachement seront développés dans les opposés heureux-malheureux, bien-mal et pacifient le chitta (*mental*).

2. La nature du yoga :
Le yoga est le contrôle du mental et de son contenu, qui prend différentes formes ou vrittis.

3. Dans la concentration, le voyant (*purusha*) demeure inchangé en sa propre nature.

4. À d'autres moments (*que la concentration*) le purusha s'identifie aux modifications (*du mental*).

>–+◆–○–◆+–◃

Le mental est dirigé par le jeu des trois guna : purifié par sattva, actif par rajas et inerte par tamas. Ce yoga de Patañjali a pour but ici de pacifier le mental et de l'élever au-dessus des guna — tout au moins de ne plus être dépendant de rajas et tamas.

Les yoga-sûtras de Patañjali font partie des six darshana, les six systèmes de philosophie indienne. Ils traitent de cinq yoga correspondant à cinq différents niveaux de compréhension et d'approche de la réalité : hatha-yoga, mantra-yoga, laya-yoga, râja-yoga et râjadhrirâja-yoga. Ces yoga-sûtra consistent en 200 aphorismes, courts et concis, divisés en quatre chapitres. Ils furent traduits entre autre par Svâmî Vivekânanda.

Dans le contexte de la nourriture, le yaourt nature est frais, léger et apaisant pour les natures pitta et même vâta. Aussi, il convient bien aux contemplatifs et aux méditants. De plus, le cumin et la coriandre réduisent les excès de pitta.

Voici une recette inédite du Mahârashtra de *raïta* aux poivrons verts. Elle accompagnera un riz blanc au ghî, ou des légumes secs, comme pommes de terre, choux-fleurs.

Raïta de poivron vert

➤ 2 poivrons verts coupés en dés
➤ 3 yaourts nature battus
➤ 1/2 c. à café de garam mâsalâ
➤ 1 c. à café de sucre roux
➤ 1 c. à café de graines de cumin
➤ une poignée de feuilles de coriandre fraîche
➤ 1 pincée de poudre de piment rouge, sinon 1/2 c. à café de paprika (moins fort), sel.

☞ Mélanger les morceaux de poivrons avec le yaourt, le sel, le sucre et les feuilles de coriandre hachées.

☞ Décorer le tout avec la poudre de garam mâsalâ, de piment ou de paprika.

☞ Dans un peu de ghî, faire griller les graines de cumin et verser en dernier sur la raïta. Servir frais.

➤─◆─○─◆─◄

Il y a de nombreuses recettes de *lassi*, boisson fraîche et pure à base de yaourt : *lassi* sucré, salé, aux fruits, aux épices. Chaque région, chaque famille a sa recette. C'est une boisson sattvique par excellence.

La qualité du yaourt est importante. Si vous l'achetez, il vaut mieux prendre des yaourts veloutés, nature : ils seront plus crémeux. Si vous pouvez les faire à la maison, le goût devra être légèrement aigre afin de conserver cette saveur forte après la dilution. Voici une recette de *lassi* du Bengale.

Sattva

Lassi du Bengale

- ➤ 2 tasses de yaourt nature
- ➤ 1 tasse d'eau
- ➤ 4 c. à soupe de sucre
- ➤ 1 c. à café de graines de cumin grillées
- ➤ 1/4 de jus de citron vert et de la glace pilée

☞ Faire dissoudre le sucre et le sel dans l'eau.

☞ Battre les yaourts dans un bol à mixeur ou à l'aide d'un fouet. Ajouter l'eau et mélanger à nouveau.

☞ Ajouter la glace pilée et le jus de citron. Mélanger encore jusqu'à ce que la boisson mousse. Parsemer de graines de cumin avant de servir, et la glace pilée (facultatif).

Un riz doux du Bengale est particulièrement sattvique, principalement avec le riz basmati, le ghî et le safran qui équilibre les tridosha.

Le riz, les amandes et les clous de girofle, le raisin, réduisent les excès de pitta, ainsi que de vâta pour le dernier ; la cardamome et la cannelle réduisent vâta et kapha. C'est un plat nutritif, sain et léger.

Sattva

Riz doux du Bengale

- ➤ 300 g de riz basmati
- ➤ 1 c. à soupe de ghî
- ➤ 1 pincée de safran (dilué avant dans un peu de lait)
- ➤ 2 c. à soupe de raisins sultana
- ➤ 3 c. à soupe d'amandes
- ➤ 5 graines de pistache
- ➤ 6 clous de girofle
- ➤ 6 cardamome
- ➤ 1 bâton de cannelle
- ➤ 1 c. à café de sucre

☞ Bien laver le riz et le faire tremper 2 heures. Chauffer les épices dans le ghî rapidement. Ajouter les raisins, les pistaches et les amandes. Frire environ 3 minutes. Ajouter le safran. Verser le tout dans une casserole avec les épices.

☞ Égoutter le riz et ajouter au reste. Bien mélanger à feu doux une dizaine de minutes. Ajouter l'eau. Couvrir et laisser cuire doucement. Ajouter le sucre et garnir avec les amandes et pistaches.

━━━━━━━━

Le santal, c'est l'Inde. Le santal (*chandana* en sanskrit) est on ne peut plus sacré et sattvique — au même titre que la tulsî (basilic indien), la fleur de lotus, l'hibiscus, l'eau du Gange. Il est dit agir sur l'âjnâ-chakra, le centre de la Connaissance, dit aussi "troisième œil". C'est l'avant-dernier chakra avant celui du "lotus aux mille pétales" qui s'épanouit au somme du crâne.

Aussi, le santal (huile, essence, pâte, encens) améliore la concentration, affine l'intelligence de la bouddhi. De par sa nature sattvique et purifiante, le santal participe à tous les rituels de la vie indienne, il est offert dans les temples aux déités, il est utilisé par les femmes pour les soins de beauté (santal blanc), du visage et du corps, en massage mélangé à l'huile de noix de coco, et bien entendu rentre dans la composition des parfums.

Le santal (*santalum album*) est utilisé en âyurveda. Son dosha est de type pitta, kapha. Il réduit pitta et vâta et accroît kapha (si déjà aggravé). Son action est alternative, antiseptique, carminative, sédative, hémostatique et sédative. Il agit sur le système circulatoire, digestif et nerveux. Son action fraîche calme les chaleurs et agitations de type pitta — tant du corps que de l'esprit. D'ailleurs, les yogî l'utilisent pour transmuer l'énergie sexuelle en énergie spirituelle.

Notons qu'en Europe, au Moyen Age, l'on utilisait le santal rouge dans la cuisine, non tant pour sa saveur mais plus pour... sa couleur. En effet, sa couleur chaude recommandée l'hiver, comme le curcuma, le safran, le gingembre. En été, la nourriture était colorée avec des couleurs fraîches, comme le jus de persil, le sésame, la cardamome, le fenouil. L'Inde aussi attache une grande importance à la couleur des aliments durant les saisons, c'est la science du ritucârya — thème qui sera développé dans notre prochain livre sur la Naturopathie indienne : *Prakriti*.

Voici une rare recette : le *chandan sherbet* ou *chandan jo sherbat*, boisson ou sirop de santal, très rafraîchissant l'été avec de l'eau froide. Une boisson sattvique et d'une grande finesse et originalité. Notons que le santal est très apaisant pour les natures pitta et que les feuilles d'argent ou warak ont de fortes propriétés, l'argent étant utilisé comme oligo-élément.

Sattva

Sherbet au santal

- ➤ 1 kg de sucre
- ➤ 3/4 litre d'eau
- ➤ 10 grammes de poudre de santal (de Mysore)
- ➤ 2 c. à café de lait frais
- ➤ jus d'un citron vert
- ➤ 4 feuilles d'argent ou warak
- ➤ 5 cardamomes

☞ Bouillir l'eau avec le sucre avec les graines de cardamome durant 30 minutes. Remuer de temps en temps. Ajouter le lait. De l'écume se formera au-dessus, l'enlever. Ajouter le jus de citron. Cuire à feu doux durant 30 minutes. Réserver.

☞ Mettre la poudre de santal blanc dans un tissu fin et le mettre dans le sirop. Couvrir le récipient. Laisser reposer durant une nuit. Le lendemain, le filtrer. Ajouter les feuilles d'argent et mettre le *sherbet* en bouteille.

Il peut se prendre pur ou mélanger à de l'eau froide comme un sirop.

Remarque : poudre de santal pur et warak se trouvent dans les épiceries indiennes, tamoules surtout.

Rajas

Afin d'illustrer la nature rajasique et pitta, voici une excellente recette de fête avec ce curry d'agneau du Sud, bien relevé avec de nombreuses épices. Par contre, nous avons choisi ces épices qui n'aggravent pas mais réduisent pitta, comme : cumin, curcuma, coriandre, graines de pavot et de moutarde, clous de girofle, noix de coco et petits pois.

Si nous avons pris quelques recettes avec de la viande : agneau, poulet, poisson, crustacés, nous n'en avons pris aucune avec celle qui est considérée comme une mère en Inde : la vache. Remarque qui en dit long sur le sens spirituel du mot sanskrit *go*, qui désigne la vache, un des noms de Krishna, gopâla, le vacher, *gopî*, les gardiennes de vaches et compagnes de jeu de Râdhâ-Krishna ; *go* signifie aussi rayon de lumière, nom assimilé à sushumnâ-nâdi, vaisseau du corps subtil, situé au centre de la moelle épinière et le long de laquelle s'élèvent les forces latentes de la kundalinî.

La vache en Inde nourrit de par tous les produits dérivés du lait, donc comme le ferait une mère. De plus, elle est celle qui donne les "lumières spirituelles", ancien concept védique et que l'on retrouve dans toute la mythologie. Les Indiens et hindous aiment et respectent profondément la vache.

Curry d'agneau du sud

- ➤ 600 g d'agneau coupé en morceaux
- ➤ 1 petite boule de tamarin
- ➤ 1 gros oignon émincé
- ➤ 2 pommes de terre coupées en cubes
- ➤ 100 g de petits pois écossés
- ➤ 2 piments rouges ou 1 c. à café en poudre
- ➤ 1 c. à café de graines de cumin
- ➤ 1 pincée de curcuma
- ➤ 1 c. à soupe de graines de coriandre
- ➤ 5 gousses d'ail et 6 grains de poivre noir
- ➤ 1 c. à café de graines de pavot
- ➤ 1 c. à café de graines de moutarde
- ➤ 2 cardamome
- ➤ 2 clous de girofle
- ➤ 2 bâtons de cannelle
- ➤ 1 tasse de noix de coco râpée
- ➤ quelques feuilles de coriandre fraîche, sel

☞ Dans une poêle sèche, faire griller les piments, l'ail, la cardamome, la cannelle, les clous de girofle, les graines de moutarde, de cumin, de coriandre et de pavot (aucun risque de "paradis artificiel" avec cette espèce non toxique). Les passer ensuite au mixeur et en faire une pâte avec très peu d'eau.

☞ Couvrir le tamarin avec de l'eau chaude 5 minutes et en faire un jus en pressant la pulpe.

☞ Chauffer le ghî doucement et faire frire les oignons jusqu'à ce qu'ils soient dorés. Y ajouter la pâte d'épices, le curcuma, le sel et l'agneau et faire dorer le tout.

☞ Couvrir d'eau, ajouter les petits pois, les pommes de terre et cuire à feu doux. Presque avant la fin de la cuisson, ajouter le jus de tamarin et cuire 15 minutes. Puis servir en décorant de feuilles de coriandre.

D'une manière générale, l'agneau aggrave les tridosha, mais son action est tempérée par certaines épices.

Rajas

Cette recette *mollee* du Sud illustre *raja guna*. Pour changer, voici les épices qui, prises régulièrement et en fortes quantités — peuvent aggraver ce guna ainsi que le dosha de type pitta.

Ainsi : la noix de cajou, le cumin, le piment et le gingembre peuvent aggraver pitta : l'ail et la noix de coco kapha et vâta.

Poisson mollee, spécialité du sud

➤ 4 filets de poisson à chair ferme
➤ 10 noix de cajou
➤ 1 grosse tomate coupée en dés
➤ 2 gousses d'ail
➤ 1 piment vert
➤ 2 verres de lait de coco
➤ 1 oignon émincé, sel
➤ 1 c. à soupe de cumin en poudre
➤ ghî

☞ Dans le ghî, faire revenir l'oignon, le gingembre et l'ail, puis les épices, ainsi que la tomate et le sel.

☞ Bien faire revenir et ajouter le poisson, le piment et les noix de cajou. Bien mélanger, puis ajouter le lait de coco. Couvrir et laisser mijoter 10 minutes environ. S'accompagne bien d'un riz blanc au ghî.

Tamas

Bhartrihari : l'esprit d'un insensé
Satakas, Cent stances

(III, 27, 9)

Si tu peux dérober le joyau
Qu'un crocodile tient dans sa mâchoire,
Si tu peux nager dans un océan
Déchaîné par la tempête,
Si tu peux éviter la morsure
D'un cobra endormi enroulé sur la tête,
Tu ne pourras jamais changer
L'esprit têtu d'un insensé !

Bhartrihari (vers l'an 650) nous montre une fois de plus la pertinence de ses paroles — ici sur un esprit tamasique (ou kapha). Vues peut-être pessimistes, car tout caractère peut évoluer et se modifier. Ainsi, une nature tamasique peut passer à une nature plus active, de type rajasique, puis se tempérer et se purifier peu à peu avec sattva. La connaissance de soi de l'adhyâtma-yoga permet une telle évolution, une telle transformation.

Chaque poème de Bhartrihari a une brièveté dramatique — une certaine tension émotionnelle qui ne laisse pas indifférent. Il nous présente une pensée, un sentiment unique, une émotion ou rasa, et en tire une conclusion abrupte parfois. Bien entendu, les traductions anglaises, françaises ne peuvent rendre toute la beauté et l'esprit du sanskrit. Ce poème fut composé il y a environ 1 400 ans.

Afin d'illustrer la nature tamasique d'énergie kapha, voici une délicieuse recette composée de certaines épices qui pourraient aggraver kapha si prises en quantité et régulièrement, bien entendu, comme l'asafoetida, le clou de girofle, la cardamome, l'ail et la viande rouge.

Mouton bafa

➤ 500 g d'agneau coupé en cubes

➤ 1 gros oignon

➤ 4 pommes de terre coupées en quatre

➤ 2 tomates coupées en morceaux

➤ sel

● Moudre pour obtenir une pâte :

➤ 4 gousses d'ail

➤ 1 petit morceau de gingembre frais

● Moudre pour le mâsalâ :

➤ 1 c. à café de graines de cumin

➤ 1 boule de tamarin (grosseur d'un citron vert)

➤ 1 bâton de cannelle

➤ 4 clous de girofle

➤ 4 cardamomes

➤ 6 grains de poivre

➤ 1 c. à soupe de vinaigre de xérès

➤ ghî ou huile

☞ Faire dorer les oignons dans le ghî. Y ajouter la pâte d'ail et de gingembre et bien faire cuire. Ensuite, faire dorer la viande, puis ajouter un peu d'eau et cuire 30 minutes environ. Mettre alors les pommes de terre jusqu'à cuisson.

☞ Dans une poêle, faire revenir le mâsalâ avec le reste de ghî et l'asafoetida, puis ajouter les tomates. Lorsqu'elles sont bien réduites, versez-les dans la première casserole, saler. Bien mélanger, puis saupoudrer de sucre roux lorsque la viande est bien cuite. Servir bien chaud.

S'accompagne bien d'un riz au safran, d'un riz pullao ou d'un riz au ghî, ou encore de pommes de terre et d'une fraîche raïta. Comme boisson : un thé de Ceylan orange pekoe ou un capiteux thé d'Assam, ou encore un léger thé des Nilgiris, de Darjeeling ou du Kenya à l'arôme corsé et chaud comme sa terre.

Tamas

La viande blanche du porc est considérée comme tamasique et de type kapha. Ceci dit, l'âyurveda ne la condamne pas. Voici une délicieuse recette de Goa, d'influence portugaise.

Notons que la nature tamasique du porc est balancée par des épices comme le gingembre, le piment rouge et le cumin qui réduisent kapha et donc tamas par extension.

Porc vindaloo de Goa

> ➤ 1 kg de porc coupé en morceaux
> Faire mariner 2 heures : 1 verre de bon vinaigre
>   2 piments rouges
> ➤ 1 morceau de gingembre frais
> ➤ 2 c. à café de graines de cumin
> ➤ 3 c. à café de ghî
> ➤ 250 g de petits oignons
> ➤ 2 c. à soupe de sucre roux, sel

☞ Après avoir bien fait mariner les piments dans le vinaigre, mettre au mixeur le reste des épices ainsi que les piments marinés. Mélanger ensuite ce mâsalâ à la viande de porc.

☞ Faire fondre doucement le ghî dans une poêle épaisse, ajouter le porc avec le mâsalâ et cuire à feu moyen environ 30 minutes. Ensuite, faire mijoter avec les petits oignons jusqu'à cuisson complète. Sucrer et bien mélanger.

S'accompagne d'un *boiled-rice* comme à Goa, c'est-à-dire d'un riz brun, complet ou semi-complet.

D'une manière générale et selon l'âyurveda, le porc n'est pas recommandé pour les tridosha, surtout s'ils sont aggravés. Notons que le vinaigre convient à vâta, moins à pitta et kapha.

Un thé aux épices, au gingembre, accompagnera ce plat, qui élimine les graisses et chasse les toxines du corps, garantissant un bon équilibre : choix judicieux pour un plat de viande.

Tamas

Poussant sous la terre, dans les "ténèbres", la pomme de terre, un tubercule, est considérée comme tamasique par le Gîtâ et de nature kapha par l'âyurvéda. Elle peut accroître vâta si déjà aggravé, bien moins pitta, kapha. En revanche, son action sera tempérée ici par le curcuma, le gingembre, le piment et les graines de moutarde. Par contre, les pois chiches et curcuma réduisent pitta (et rajas), mais les cajous l'accroissent. Là encore, tout est une question de connaissance et de bonne répartition des épices.

Beignets "bonda" aux pommes de terre

Ingrédients pour la pâte :
➤ 200 g de farine de poix chiches (besan)
➤ 1,5 dl d'eau
➤ 1 pincée de piment rouge
➤ 1 pincée de levure chimique ou bio, sel

Pour la farce des bonda :
➤ 500 g de pommes de terre cuites à l'eau
➤ 2 piments verts (facultatif)
➤ 2 oignons
➤ 1 pincée de curcuma
➤ 1 petite pincée de curcuma
➤ 1 morceau de gingembre frais
➤ 1/2 citron vert, sel, poivre
➤ 1 c. à café de graines de moutarde
➤ 2 c. à soupe de noix de cajou effilées
➤ quelques feuilles de menthe fraîche, sel, huile

☞ Tamiser la farine, la levure et le sel dans une jarre. Ajouter le piment de 1,5 dl d'eau environ, en mélangeant jusqu'à obtenir une pâte lisse, lisse comme un "mental pacifié". La battre ensuite au fouet à main (de la connaissance et de l'introspection), puis laissez-la reposer une heure (en une stable et paisible méditation).

☞ Couper en petits dés les pommes de terre. Dans une poêle, faire éclater les graines de moutarde (attention aux yeux !) dans le ghî ou une huile légère, et faire dorer les noix de cajou.

☞ Ajouter ensuite le curcuma, les oignons émincés, le piment haché, le gingembre râpé en remuant sans cesse. Lorsque l'oignon est cuit, mettre les pommes de terre, ainsi que les feuilles de menthe, et saler. Retirer du feu. Écraser bien le tout avec une spatule en bois. Séparer la préparation en une trentaine de boulettes et réserver.

☞ Faites chauffer l'huile dans une friteuse et y plonger par cinq les boulettes de pommes de terre enrobées de pâte à frire. Les égoutter sur du papier absorbant.

Servir bien chaud ou froid avec des chutney de mangue, citron, menthe, coriandre, tomates, etc. Convient bien en snack, à l'heure du tea-time avec un thé mâsalâ, au gingembre ou encore un thé de Ceylan, des Nilgiris, de l'Assam avec un peu de lait et d'épices ou avec le Roi des thés : le Darjeeling (T.G.F.O.P.) des *estates*, plantation de la Teesta valley ou de ma préférée, la Namring.

Ces beignets *bonda* sont une spécialité du Sud, ainsi que du Gujarât.

"Le Dieu des petits riens"

Et l'Inde, si c'était aussi cela ?

Terminons sur la note du thé. Si l'on me demandait d'évoquer rapidement l'Inde à travers les cinq sens, je répondrais sans hésiter pour l'ouïe, le chant du Gange et des mantras sanskrit ; pour la vue, les Himâlaya et les Indiennes en sârî ; pour l'odorat, le santal et le jasmin ; pour le toucher, le khadi de coton tissé et la soie ; pour le goût, la saveur des épices et l'arôme magique du thé.

Si j'ai dit "le santal, c'est l'Inde", c'est vrai aussi pour le thé et particulièrement pour le mâsalâ-chaï, le thé aux épices. Le thé en Inde, comme au Tibet, en Chine, au Japon ou au Maroc, est bien plus qu'une simple boisson agréable. Le thé est un art de vivre. Il réunit les hommes et les femmes de toute croyance, de toute classe sociale.

Le thé tisse des liens subtiles et puissants entre les êtres. Il retient la mémoire dans son parfum et défie le temps qui l'efface. Il s'imprègne de la nature et nous la restitue dans son arôme. En ce sens, le thé est sarvam annam : le Divin présent en tout, dans l'"émerveillante banalité du quotidien" comme disait Krishnamurti, présent dans les grandes comme dans les humbles choses de la vie. Là se révèle le "Dieu des petits riens" comme l'écrit si poétiquement Arundhati Roy.

Chacun, chacune a "son" expérience de l'Inde. En ce qui nous concerne, Catherine et moi, tant d'événements se sont tissés autour du thé depuis trente ans. Que ce soit l'hiver à Hardwar, servi dans un petit gobelet d'argile rouge, après un bain dans les eaux glacées de la Gânga ; dans les Himâlaya à Darjeeling, au Tea Planteur Club dans une délicate tasse de porcelaine, ou à Kalimpong chez les réfugiés Tibétains, mélangé à de la tsampa ; ou encore dans un âshram, servi dans un haut gobelet de métal qui brûle les doigts et la gorge, dégusté à petites gorgées lors d'un satsang amical et simple avec un svâmî. Le silence s'installe. Le thé parle pour nous et survient la plénitude. La vérité de l'instant.

Du Cachemire au Tamil Nâdu, de l'Assam au Râjasthân, le temps s'est écoulé et s'écoule, s'est effacé et s'efface sous la chaleur du thé et la saveur des épices. Tissant la mémoire, fixant l'instant et les renouvelant sans cesse l'un et l'autre, afin que ne subsiste aucune nostalgie, aucun désir, aucune dualité, si ce n'est celui d'un "parfum venu d'ailleurs" : celui du thé, celui de l'Inde.

Mâsalâ chaï, thé aux épices

- Thé : Darjeeling, Ceylan, Assam, Nilgiris, Népal, Sikkim ; en principe 1 c. à café par personne
- 50 cl d'eau pour 1 c. à café de thé
- 20 à 30 cl de lait frais
- 4 clous de girofle
- 2 à 3 grains de poivre noir
- 2 capsules de cardamome
- 1 cm de bâton de cannelle
- 1 pincée de noix de muscade râpée (conseillée par une gujarâti)
- sucre

Remarque : bien entendu, chaque famille du Nord au Sud a *sa* recette, son petit plus qui fait le mâsalâ chaï inoubliable et tisse les liens d'amitié. Les épices, même en Inde, sont coûteuses. Parfois, il n'y a que du thé, du lait, de l'eau et du sucre, le tout bouilli ensemble et servi très très chaud.

☞ Faire frémir l'eau avec le lait et les épices durant une dizaine de minutes. Puis ajouter les feuilles de thé (BOP broken orange pckoe, et non thé en poudre). Porter rapidement à ébullition. Passer le tout et servez bien chaud. Sucrer à volonté.

Ce genre de thé est particulièrement tonique et reconstituant, surtout l'hiver. Son arôme est incomparable.

Sur le plan de l'âyurvéda, le thé chaud, épicé, avec du lait n'aggrave pas vâta et pitta, mais il aggrave kapha (ainsi qu'avec le café), s'il est pris régulièrement et en excès. Là encore, tout est question d'équilibre, d'écoute de soi.

Priyâ (Ooty).

TABLE DES MATIÈRES

— ⋈ —

Choix des illustrations : Patrick MANDALA

Pour les **stages de cuisine âyurvédique et indienne** :
contacter Catherine Mandala, atelier l'Arbre de Vie, rue Noblemaire.
74290 Talloires (Lac D'Annecy).

Commencé le 15 décembre 1999 à Ooty (Tamil nâdu)

Yamunâ Mandala.

CRÉDIT PHOTOGRAPHIQUE

P. 82   : Femme en sârî : Edouard Boubat
P. 118   : Bronze : V.B. Ananda
P. 122   : Svâmîji et P. Mandala à l'ashram
P. 150   : Tamoules et Catherine Mandala : Patrick Mandala
P. 152   : Mâ Ananda Moyi : Arnaud Desjardins
P. 197   : Yamunâ Mandala : Catherine Mandala
P. 190   : Priyâ

Illustrations couleur :
Marché à Madras : V.B. Ananda
Marché aux fleurs de Ooty
Repas de mariage à Ooty
Thâli et épices : Catherine Mandala
Chou-vert en curry – Murkha dhâl – Sauté de courges –
Kitcheree – Riz au safran – Naan peshawari – Raita : Joff Lee

MAQUETTE
MISE EN PAGE

DARIUS

PARIS

Achevé d'Imprimer sur les presses
d'ACTI 3000 à Miré

Dépôt légal 2e semestre 2000